LES MEILLEURES RECETTES
Poulet

Tom Bridge

p

Réalisation : InTexte Édition, Toulouse
Traduction de l'anglais : Bénédicte Duchet

ISBN : 1-40541-443-X

Imprimé en Chine

Note

Une cuillère à soupe correspond à 15 à 20 g d'ingrédients secs
et à 15 ml d'ingrédients liquides. Une cuillère à café correspond à 3 à 5 g d'ingrédients secs
et à 5 ml d'ingrédients liquides. Sans autre précision, le lait est entier, les œufs sont
de taille moyenne et le poivre est du poivre noir fraîchement moulu.

Sommaire

Introduction

Le poulet est apprécié dans le monde entier et occupe une place importante dans l'alimentation contemporaine – et à juste titre, car c'est un aliment assez bon marché et intéressant sur le plan nutritionnel. Il peut se cuisiner d'une multitude de façons, et son goût peu prononcé permet de l'utiliser pour des plats aussi bien doux que relevés. Pauvre en matières grasses, surtout quand on enlève la peau, c'est une viande idéale pour ceux qui suivent un régime hypocalorique ou doivent surveiller leur cholestérol. Riche en protéines, le poulet contient des minéraux utiles, comme le potassium et le phosphore, ainsi que certaines vitamines B.

LES MODES DE CUISSON DU POULET

Au four Retirer toute la graisse intérieure du poulet. Rincer à l'eau l'intérieur et l'extérieur, et sécher avec du papier absorbant. Bien saler et poivrer l'intérieur, ajouter éventuellement de la farce, des aromates ou du citron. Badigeonner la poitrine avec du beurre en pommade ou de l'huile. Mettre au four dans un plat à rôtir ou un plat à gratin peu profond. Arroser deux ou trois fois avec le jus pendant la cuisson. Si le poulet dore trop vite, le couvrir de papier d'aluminium. Vérifier la cuisson avec un thermomètre à viande, ou en piquant une brochette dans la partie la plus charnue d'un haut de cuisse ; si le poulet est cuit, le jus sera clair, sans trace rosée. Mettre le poulet sur une planche à découper et laisser reposer au moins 15 minutes avant de servir. Accompagner du jus de cuisson ou d'une sauce préparée à partir de ce jus.

Au gril La chaleur intense du gril enferme vite la chair tendre dans une enveloppe dorée et croustillante. Mettre le poulet à 10 ou 15 cm d'une source de chaleur modérée. S'il semble dorer trop vite, réduire légèrement la température. S'il est mis à rôtir à trop haute température et trop près de la chaleur, l'extérieur brûlera avant que l'intérieur ne soit cuit. S'il cuit trop longtemps à basse température, il se desséchera. Il vaut mieux découper le poulet en morceaux pour garantir une cuisson uniforme. Cuite en une seule pièce, la viande de la poitrine risque d'être sèche ; coupée en morceaux, elle est parfaite pour les brochettes. Les ailes sont la partie qui se prête le mieux à une cuisson rapide au gril.

Frit à la poêle Cette cuisson convient pour les petites cuisses, les pilons et les blancs. Sécher les morceaux avec du papier absorbant pour qu'ils dorent et n'éclaboussent pas à la cuisson. On peut enrober le poulet de farine assaisonnée, d'œuf et de chapelure, ou d'une pâte à frire. Faire chauffer de l'huile ou un mélange d'huile et de beurre dans une poêle. Un fois l'huile très chaude, ajouter le poulet, côté peau vers le bas. Faire cuire en retournant souvent, jusqu'à ce qu'il soit doré. Bien égoutter sur du papier absorbant avant de servir.

Fricassé Cette méthode est idéale pour les petits morceaux ou les très jeunes poulets. Faire chauffer un peu d'huile ou un mélange d'huile et de beurre dans une poêle. Ajouter le poulet et le faire dorer à feu moyen, en remuant fréquemment. Mouiller avec du bouillon ou un autre liquide, porter à ébullition, couvrir et réduire le feu. Faire cuire doucement jusqu'à cuisson complète.

Sauté Le poulet, désossé et sans peau, est coupé en petits morceaux de taille égale pour que la cuisson soit uniforme et rapide. Préchauffer un wok ou une sauteuse et y mettre un peu d'huile. Quand l'huile commence à fumer, ajouter le poulet et le faire sauter 3 à 4 minutes avec un assaisonnement de votre choix jusqu'à cuisson complète. Vous pouvez faire cuire d'autres ingrédients en même temps. S'il cuit seul, le retirer du récipient, faire sauter les autres ingrédients et le remettre quand ceux-ci sont cuits.

À la cocotte Cette méthode convient aux morceaux de gros poulets, mais aussi aux petits poulets entiers. La cuisson lente donne une viande tendre et goûteuse. Faire rissoler le poulet dans du beurre, de l'huile, ou un mélange des deux. Ajouter du bouillon, du vin, ou les deux, l'assaisonnement et des aromates, couvrir et faire cuire sur la cuisinière ou au four jusqu'à ce que le poulet soit tendre. À mi-cuisson, ajouter un assortiment de légumes légèrement sautés.

Braisé Cette cuisson se fait sans ajout de liquide. Les morceaux de poulet, ou un petit poulet entier, cuisent lentement au four avec des légumes, à feu doux. Faire chauffer un peu d'huile dans une cocotte allant au four, et faire doucement dorer le poulet. Retirer le poulet et faire revenir un assortiment de légumes jusqu'à ce qu'ils soient presque tendres. Remettre le poulet dans la cocotte, bien couvrir et faire cuire à feu doux sur la cuisinière ou au four.

Mitonné C'est un mode de cuisson doux, qui donne une viande tendre et un bouillon pouvant servir à faire une sauce d'accompagnement. Mettre dans une cocotte un poulet entier, un bouquet garni, un poireau, une carotte et un oignon. Recouvrir d'eau, saler, poivrer et porter à ébullition. Couvrir et laisser mijoter 1 h 30 à 2 heures, jusqu'à ce que le poulet soit tendre. Sortir le poulet de la cocotte, jeter le bouquet garni et utiliser le bouillon pour faire une sauce. Les légumes peuvent être mixés pour épaissir le bouillon, et servis avec le poulet.

SÉCURITÉ ALIMENTAIRE ET CONSEILS

Le poulet est sujet à la salmonellose, infection bactérienne qui peut provoquer de graves intoxications alimentaires. Pour prévenir ce risque, conservation, manipulation et préparation des volailles doivent se faire en prenant des précautions.

• Vérifier la date limite de vente et de fraîcheur. Rapporter vite le poulet chez soi, de préférence dans un sac congélation ou une glacière.

• Mettre tout de suite au congélateur les poulets surgelés.

• Si le poulet doit être réfrigéré, le sortir de son emballage et mettre à part les abats, s'il y en a. Placer le poulet dans un plat creux pour recueillir le liquide qui peut s'en écouler. Couvrir sans serrer avec du papier d'aluminium et mettre sur la clayette la plus basse du réfrigérateur. Le poulet ne doit pas être conservé plus de 2 ou 3 jours (selon la date limite de fraîcheur). Lors de la conservation et de la préparation, éviter tout contact entre le poulet cru et les aliments cuits. Bien se laver les mains après avoir manipulé du poulet cru.

• Préparer le poulet cru sur une planche à découper facile à nettoyer et à passer au détergent (en plastique non poreux, par exemple).

• Faire décongeler les poulets surgelés avant utilisation – 36 heures environ au réfrigérateur, ou 12 heures à l'air libre, dans un endroit frais. Les bactéries prolifèrent à température ambiante et lors de la décongélation. La cuisson à haute température tue les bactéries. Il ne doit pas y avoir de cristaux de glace, la viande doit être douce et souple au toucher. Une fois que le poulet est décongelé, le cuire le plus vite possible.

• Vérifier la cuisson du poulet. Utiliser un thermomètre à viande – le haut de cuisse doit atteindre une température d'au moins 75 °C –, ou piquer une brochette dans la partie la plus charnue d'un haut de cuisse ; le jus qui s'écoule doit être clair, sans trace rosée ni rouge. Il ne faut jamais faire cuire un poulet en deux temps.

LE BOUILLON DE POULET

Le bouillon de poulet se fait souvent à partir d'un poulet entier, ou d'ailes et de cuisses. Cette méthode permet d'obtenir un bouillon savoureux. On peut aussi utiliser les os et la carcasse, cuits avec des légumes et des aromates. Moins riche en saveur, cette préparation sera toutefois meilleure que le bouillon fait à partir de bouillon en cube. Une autre recette utilise les abats (sauf le foie, qui est amer), cuits avec un bouquet garni, un oignon, une carotte et quelques grains de poivre. Le bouillon fait maison peut se conserver jusqu'à 6 mois au congélateur.

Pour faire du bouillon de poulet : mettre les ailes et les cuisses, ou un poulet entier, dans une casserole avec 2 oignons coupés en quartiers. Faire cuire jusqu'à ce que le poulet et les oignons soient dorés. Recouvrir d'eau froide, porter à ébullition et écumer toutes les impuretés qui remontent à la surface. Ajouter 2 carottes et 2 branches de céleri émincées, un petit bouquet de persil, quelques feuilles de laurier, un brin de thym et quelques grains de poivre. Couvrir partiellement et laisser mijoter 3 heures. Filtrer le bouillon dans une terrine, laisser refroidir, puis réfrigérer. Quand le bouillon est froid, enlever la graisse figée qui se sera formée à la surface.

Soupes & entrées

La soupe de poulet est un plat nourrissant, savoureux
et digeste. Elle est réputée pour être revigorante,
et certaines cultures la considèrent même comme
un remède universel. Les meilleures soupes de poulet
se préparent avec du bouillon de poulet maison, mais si
vous manquez de temps, vous pouvez utiliser du
bouillon en cube de bonne qualité. Toutes les cuisines
du monde ont leur version préférée de ce plat, et vous
trouverez dans ce chapitre un choix de recettes
originaires de pays aussi différents que la Chine,
l'Écosse et l'Italie.

Le poulet peut se cuisiner si rapidement et de tant
de manières différentes qu'il est idéal pour faire
des entrées originales et appétissantes. Son goût peu
prononcé permet de l'accompagner de fruits exotiques,
d'épices et d'ingrédients asiatiques, comme le mirin,
l'huile de sésame ou le gingembre frais. Ce chapitre
contient des recettes de croquettes, de salades et de pilons
farcis et cuits au four, ou accompagnés de délicieuses
sauces aux fruits. Les morceaux de poulet étant de petite
taille et faciles à manger, vous pourrez emporter
la plupart des préparations de ce chapitre
en pique-nique ou même pour un déjeuner
sur votre lieu de travail.

Velouté de poulet au citron

4 personnes

INGRÉDIENTS

60 g de beurre

8 petites échalotes, émincées

2 carottes moyennes, coupées
en fines rondelles

2 branches de céleri, émincée

3 citrons

250 g de blanc de poulet,
sans peau, coupé
en dés

1,2 l de bouillon de poulet

150 ml de crème fraîche épaisse

sel et poivre

brins de persil et rondelles de citron,
en garniture

1 Faire fondre le beurre dans une casserole, ajouter les légumes et le poulet, et faire cuire 8 minutes à feu doux.

2 Zester finement les citrons et blanchir l'écorce 3 minutes.

3 Presser les citrons.

4 Mettre l'écorce et le jus des citrons dans la casserole avec le bouillon.

5 Porter doucement à ébullition et laisser mijoter 50 minutes environ. Laisser refroidir, puis mettre la soupe dans un robot de cuisine et mixer jusqu'à obtention d'un mélange homogène. Remettre la soupe dans la casserole, réchauffer, saler, poivrer et ajouter la crème fraîche. Ne pas laisser bouillir, sinon des grumeaux vont se former.

6 Verser la soupe dans une soupière ou dans des assiettes à soupe chaudes. Servir décoré avec le persil et les rondelles de citron.

VARIANTE

Vous pouvez remplacer les citrons par 4 oranges. Cette méthode permet aussi de faire une soupe au canard et à l'orange.

Soupe de poulet à la Tom

4 personnes

INGRÉDIENTS

3 tranches de lard fumé, découennées et coupées en dés

500 g de viande de poulet, coupée en morceaux

25 g de beurre

3 pommes de terre moyennes, coupées en cubes

3 oignons moyens, hachés

600 ml de bouillon de poulet ou d'abattis

600 ml de lait

150 ml de crème fraîche épaisse

sel et poivre

2 cuil. à soupe de persil frais haché

pain irlandais, en accompagnement (*voir « conseil »*)

1 Faire revenir le lard et le poulet dans une sauteuse 10 minutes à feu doux.

2 Ajouter le beurre, les pommes de terre et les oignons, et cuire 15 minutes sans cesser de remuer.

3 Mouiller avec le bouillon et le lait, porter à ébullition et laisser mijoter 45 minutes. Saler et poivrer.

4 Incorporer la crème fraîche et laisser mijoter 5 minutes. Ajouter le persil frais haché, mélanger, verser la soupe dans une soupière chaude ou dans des assiettes à soupe, et servir avec du pain irlandais ou complet.

VARIANTE

Pour une soupe plus nourrissante, servie en plat de résistance, vous pouvez ajouter toutes sortes de légumes (poireau, céleri-rave, maïs, etc.).

CONSEIL

Pour préparer le pain irlandais, il faut remplacer la levure du pain traditionnel par du bicarbonate de soude. On peut le confectionner avec de la farine blanche ou de la farine complète.

Soupe de poulet au poireau

6 personnes

INGRÉDIENTS

25 g de beurre	350 g de poireau, découpé	8 pruneaux, dénoyautés
350 g de blanc de poulet,	en tronçons de 2,5 cm	et coupés en deux
coupé en dés	1,2 l de bouillon de volaille	riz cuit et poivrons (facultatif)
1 bouquet garni en sachet	sel et poivre blanc	

1 Faire fondre le beurre dans une grande casserole.

2 Mettre le poulet et les poireaux dans la casserole et faire revenir pendant 8 minutes.

3 Ajouter le bouillon et le sachet de bouquet garni et bien mélanger. Saler et poivrer.

4 Porter la soupe à ébullition et laisser mijoter 45 minutes.

5 Ajouter les pruneaux et, éventuellement, le riz et les poivrons

et laisser mijoter encore 20 minutes. Retirer le bouquet garni et servir immédiatement.

CONSEIL

Préparez vous-même le bouillon de volaille, avec la recette page 5. Vous pouvez également trouver du bouillon frais de bonne qualité dans le commerce.

CONSEIL

Vous pouvez remplacer le bouquet garni en sachet par un bouquet d'herbes aromatiques fraîches liées avec une ficelle de cuisine, telles que le persil, le thym et le romarin.

Soupe thaïe aux nouilles et au poulet

4 à 6 personnes

INGRÉDIENTS

1 bloc de nouilles aux œufs sèches d'un paquet de 250 g	2 gousses d'ail, hachées	60 g de petits pois surgelés
1 cuil. à soupe d'huile	1 morceau de gingembre frais de 2 cm, finement émincé	3 cuil. à soupe de beurre de cacahuète
4 hauts de cuisse de poulet, désossés, sans peau et coupés en dés	850 ml de bouillon de poulet	2 cuil. à soupe de sauce de soja claire
	200 ml de lait de coco	1 petit poivron rouge, coupé en dés
1 botte d'oignons verts, émincés	3 cuil. à café de pâte de curry thaï rouge	sel et poivre

1 Mettre les nouilles dans un plat creux et faire tremper dans de l'eau bouillante en suivant les instructions figurant sur l'emballage.

2 Faire chauffer l'huile dans une sauteuse ou dans un wok, ajouter le poulet et faire dorer 5 minutes sans cesser de remuer. Ajouter la partie blanche des oignons verts, l'ail et le gingembre, et faire revenir 2 minutes sans cesser de remuer. Ajouter le bouillon, le lait de coco, la pâte de curry, le beurre de cacahuète et la sauce de soja. Saler et poivrer. Porter à ébullition en remuant, puis laisser mijoter 8 minutes en remuant de temps en temps. Ajouter le poivron, les petits pois et la partie verte des oignons, et faire cuire 2 minutes.

3 Ajouter les nouilles égouttées et faire réchauffer. Répartir dans des bols, et servir avec une cuillère et une fourchette.

VARIANTE

Si vous voulez une saveur moins épicée, remplacez la pâte de curry thaï rouge par de la verte.

Bouillon de poulet aux pâtes

6 personnes

INGRÉDIENTS

350 g de blanc de poulet, sans peau

2 cuil. à soupe d'huile de tournesol

1 oignon moyen, coupé en dés

250 g de carottes, coupées en dés

250 g de chou-fleur, en fleurettes

850 ml de bouillon de poulet

2 cuil. à café de fines herbes séchées

125 g de petites pâtes

sel et poivre

parmesan (facultatif) et pain frais, en accompagnement

1 Couper le poulet en dés à l'aide d'un couteau tranchant.

2 Faire chauffer l'huile dans une casserole et faire revenir le poulet et les légumes à feu vif.

3 Incorporer le bouillon et les fines herbes. Porter à ébullition et ajouter les pâtes. Porter à nouveau à ébullition, couvrir et laisser mijoter 10 minutes, en remuant de temps en temps pour éviter que les pâtes ne s'agrègent.

4 Saler, poivrer, puis saupoudrer de parmesan (facultatif). Servir avec du pain frais.

CONSEIL

Utiliser pour cette soupe n'importe quel type de petites pâtes – des conchigliette ou des ditalini, par exemple, ou même des spaghetti coupés en morceaux. Pour faire une soupe qui amusera les enfants, ajoutez des pâtes en forme de lettres ou d'animaux.

VARIANTE

Vous pouvez remplacer le chou-fleur en fleurettes par des brocolis en fleurettes. Remplacez alors les herbes séchées par 2 cuillerées à soupe de fines herbes fraîches hachées.

Consommé de poulet

8 à 10 personnes

INGRÉDIENTS

1,75 l de bouillon de poulet

150 ml de xérès demi-sec

4 blancs d'œufs, plus les coquilles

125 g de poulet, cuit et émincé

sel et poivre

1 Mettre le bouillon de poulet et le xérès dans une casserole, et faire chauffer 5 minutes à feu doux.

2 Ajouter les blancs d'œufs et les coquilles, et battre au fouet jusqu'à ce que la préparation commence à bouillir.

3 Retirer la casserole du feu et laisser reposer la préparation 10 minutes. Répéter trois fois l'opération. Cela permet au blanc d'œuf de retenir les dépôts du bouillon et de clarifier ainsi la soupe. Laisser le consommé refroidir 5 minutes.

4 Filtrer la soupe à travers une étamine dans une autre casserole.

5 Répéter deux fois l'opération, puis réchauffer le consommé à feu doux. Saler, poivrer, et ajouter le poulet. Verser dans une soupière chaude ou dans des assiettes à soupe.

6 Ajouter au consommé l'une des garnitures suggérées dans le « conseil », ci-contre.

CONSEIL

Le consommé a généralement pour garniture des pâtes cuites (coquillettes ou vermicelle, par exemple), du riz ou des légumes pas trop cuits. Vous pouvez aussi y ajouter de l'omelette coupée en lanières égouttées avant sur du papier absorbant.

Soupe de poulet au curry

4 personnes

INGRÉDIENTS

60 g de beurre	2 carottes, coupées en dés	1,2 l de bouillon de poulet
1 oignon, émincé	1 petite pomme, coupée en dés	150 ml de crème fraîche épaisse
1 gousse d'ail, hachée	2 cuil. à soupe de poudre de curry	sel et poivre
500 g de poulet, coupé en dés	1 cuil. à soupe de pâte de curry	1 cuil. à café de coriandre fraîche
60 g de lard fumé, découenné	1 cuil. à soupe de concentré	hachée, en garniture
et coupé en dés	de tomates	riz cuit à l'eau ou frit,
1 petit navet, coupé en dés	1 cuil. à soupe de farine	en accompagnement

1 Faire fondre le beurre dans une casserole, et faire cuire 5 minutes l'oignon, l'ail, le poulet et le lard.

2 Ajouter le navet, les carottes et la pomme, et faire cuire encore 2 minutes.

3 Incorporer le curry, la pâte de curry et le concentré de tomates, et saupoudrer de farine.

4 Mouiller avec le bouillon de poulet et porter à ébullition. Couvrir et laisser mijoter environ une heure.

5 Mixer la soupe. Réchauffer, saler, poivrer et incorporer progressivement la crème fraîche. Décorer la soupe avec la coriandre et servir avec des bols de riz cuit à l'eau ou frit.

CONSEIL

Cette soupe peut se conserver un mois au congélateur, mais pas plus, sinon les épices risquent de lui donner un goût de moisi.

Soupe au poulet et aux pois

4 à 6 personnes

INGRÉDIENTS

3 tranches de lard fumé,
   découennées et coupées
   en dés
900 g de poulet, coupé en dés
1 gros oignon, haché

15 g de beurre
500 g de pois secs, mis à tremper
2,4 l de bouillon de poulet
150 ml de crème fraîche épaisse
2 cuil. à soupe de persil frais haché

sel et poivre
croûtes au fromage, en garniture

1 Mettre le lard, le poulet et l'oignon dans une casserole avec un peu de beurre, et faire cuire 8 minutes à feu doux.

2 Ajouter les pois et le bouillon, porter à ébullition, saler et poivrer légèrement. Couvrir et laisser mijoter 2 heures.

3 Incorporer la crème fraîche, parsemer de persil et poser les croûtes au fromage sur la soupe (*voir « conseil », ci-contre*).

CONSEIL

Les croûtes sont des tranches de pain frites, qui sont ensuite recouvertes de diverses garnitures (fromage râpé ou autre) et légèrement grillées.

VARIANTE

Vous pouvez remplacer le lard par 100 g de jambon coupé en morceaux.

CONSEIL

Les pois secs doivent tremper dans un récipient d'eau froide pendant plusieurs heures ou toute une nuit. Vous pouvez aussi les mettre dans une casserole d'eau froide et porter à ébullition. Retirez ensuite la casserole du feu et laisser les pois refroidir dans l'eau. Égouttez et rincez les pois avant de servir.

Velouté de poulet

4 personnes

INGRÉDIENTS

60 g de beurre doux
1 gros oignon, émincé
300 g de poulet, cuit et coupé
    en lamelles

600 ml de bouillon de poulet
1 cuil. à soupe d'estragon frais haché
150 ml de crème fraîche épaisse
sel et poivre

feuilles d'estragon frais, en garniture
croûtons frits, en accompagnement

1 Faire fondre le beurre dans une casserole et faire revenir l'oignon 3 minutes.

2 Ajouter le poulet et 300 ml de bouillon.

3 Porter à ébullition et laisser mijoter 20 minutes. Laisser refroidir, puis mixer la soupe.

4 Ajouter le reste du bouillon, saler et poivrer.

5 Ajouter l'estragon, verser la soupe dans une soupière ou dans des assiettes à soupe, et ajouter la crème fraîche en volute.

6 Décorer la soupe avec de l'estragon frais et servir avec des croûtons frits.

VARIANTE

Pour faire des croûtons à l'ail, pilez 3 ou 4 gousses d'ail dans un mortier, et ajoutez-les à la friture.

VARIANTE

Si vous ne trouvez pas d'estragon frais, vous pouvez utiliser de l'estragon lyophilisé. Vous pouvez aussi remplacer la crème fraîche épaisse par de la crème liquide.

Soupe de poulet et boulettes à la coriandre

6 à 8 personnes

INGRÉDIENTS

900 g de viande de poulet, émincée
60 g de farine
125 g de beurre
3 cuil. à soupe d'huile de tournesol
1 carotte, coupée en morceaux
1 branche de céleri, émincée
1 oignon, haché
1 petit navet, coupé en dés

120 ml de xérès
1 cuil. à café de thym
1 feuille de laurier
1,75 l de bouillon de poulet
sel et poivre

BOULETTES
60 g de farine levante

60 g de chapelure
2 cuil. à soupe de saindoux
2 cuil. à soupe de coriandre fraîche
    ciselée
2 cuil. à soupe de zeste de citron râpé
1 œuf
lait
sel et poivre

1 Fariner les morceaux de poulet, puis saler et poivrer.

2 Faire fondre le beurre dans une casserole et faire dorer les morceaux de poulet.

3 Ajouter l'huile et faire revenir les légumes. Ajouter le xérès et le reste des ingrédients, à l'exception du bouillon.

4 Faire cuire 10 minutes, puis ajouter le bouillon. Laisser mijoter 3 heures, filtrer dans une casserole propre et laisser refroidir.

5 Pour les boulettes, mélanger dans une terrine tous les ingrédients secs. Ajouter l'œuf, bien mélanger, puis ajouter la quantité de lait nécessaire pour obtenir une pâte moelleuse.

6 Faire des boulettes de pâte et les fariner légèrement.

7 Faire cuire les boulettes 10 minutes à l'eau bouillante salée.

8 Sortir délicatement les boulettes de l'eau à l'aide d'une écumoire et les mettre dans la soupe. Faire cuire encore 12 minutes et servir.

Bouillon de poulet à la Dickens

4 personnes

INGRÉDIENTS

60 g de pois secs, mis à tremper	600 ml d'eau	1 gros poireau, émincé finement
900 g de poulet, dégraissé	60 g d'orge	1 oignon rouge, finement haché
et coupé en dés	1 carotte, épluchée et coupée en dés	sel et poivre blanc
1,2 l de bouillon de poulet	1 petit navet, épluché et coupé en dés	

1 Mettre les pois et le poulet dans une casserole, ajouter le bouillon et l'eau, et porter lentement à ébullition.

2 Écumer le bouillon quand il bout.

3 Une fois toutes les impuretés enlevées, ajouter l'orge lavée et le sel. Laisser mijoter 35 minutes.

4 Ajouter le reste des ingrédients et laisser mijoter 2 heures.

5 Écumer de nouveau la soupe et laisser reposer au moins 24 heures.

6 Réchauffer, rectifier l'assaisonnement et servir.

VARIANTE

Cette soupe est aussi bonne avec du bœuf ou de l'agneau. Remplacez le poulet par 225 g de filet de bœuf ou d'agneau. Dégraissez la viande si nécessaire et coupez-la en fines lanières avant de l'utiliser.

CONSEIL

Vous pouvez utiliser de l'orge mondé ou de l'orge perlé. Dans l'orge mondé, seule la première enveloppe a été enlevée ; la cuisson lui donne un goût de noisette et une consistance de caramel mou.

Velouté de poulet à l'orange

4 personnes

INGRÉDIENTS

60 g de beurre

8 petites échalotes, émincées

2 carottes moyennes, coupées
en fines rondelles

3 oranges

2 branches de céleri, finement
émincée

250 g de blanc de poulet,
sans peau et coupé
en cubes

1,2 l de bouillon de poulet

150 ml de crème fraîche épaisse

sel et poivre blanc

1 brin de persil et 3 rondelles
d'orange, en garniture

1 Faire fondre le beurre dans une casserole, ajouter échalotes, carottes, céleri et poulet. Faire cuire 8 minutes à feu doux en remuant de temps en temps.

2 Zester les oranges à l'aide d'un économe ou d'un couteau tranchant. Blanchir l'écorce 3 minutes.

3 Presser les oranges. Mettre l'écorce et le jus des oranges dans le casserole avec le bouillon.

4 Porter doucement à ébullition et laisser mijoter 50 minutes. Laisser refroidir, puis passer la soupe au mixeur ou au robot de cuisine jusqu'à obtention d'un mélange homogène.

5 Remettre la soupe dans le casserole, réchauffer, saler, poivrer et ajouter la crème fraîche. Ne pas laisser bouillir, sinon la soupe fera des grumeaux.

6 Verser la soupe dans une soupière ou dans des assiettes à soupe. Décorer avec le persil et les rondelles d'orange, et servir avec du pain irlandais (*voir* « conseil » page 10).

VARIANTE

Vous pouvez remplacer les oranges par 2 petits citrons. Si vous utilisez le zeste, choisissez des citrons non traités.

Soupe de poulet et de pintade aux spaghettis

6 personnes

INGRÉDIENTS

500 g de poulet, sans peau et coupé en cubes

500 g de pintade, sans peau et coupée en cubes

600 ml de bouillon de poulet

1 petit oignon

6 grains de poivre

1 cuil. à café de clous de girofle

1 pincée de macis

150 ml de crème fraîche épaisse

2 cuil. à café de beurre

2 cuil. à café de farine

125 g de spaghettis à cuisson rapide, coupés en petits morceaux et cuits

2 cuil. à soupe de persil frais haché, en garniture

1 Verser le bouillon dans une casserole et ajouter les morceaux de poulet et de pintade.

2 Porter à ébullition, et ajouter l'oignon, les grains de poivre, les clous de girofle et le macis. Laisser mijoter 2 heures environ, jusqu'à réduction d'un tiers du bouillon.

3 Filtrer, dégraisser et retirer les fragments d'os s'il y en a.

4 Verser la soupe et la viande dans une autre casserole. Ajouter la crème fraîche et porter lentement à ébullition.

5 Pour faire un roux, faire fondre le beurre et ajouter la farine jusqu'à obtention d'une consistance pâteuse. Incorporer dans la soupe en remuant, jusqu'à ce qu'elle ait légèrement épaissi.

6 Juste avant de servir, ajouter les spaghettis cuits.

7 Verser la soupe dans des assiettes à soupe, garnir avec le persil et servir.

VARIANTE

Remplacez les spaghettis par des pâtes courtes (ziti ou coquillettes, par exemple).

Velouté de poulet à la tomate

2 personnes

INGRÉDIENTS

60 g de beurre

1 gros oignon, haché

500 g de poulet, coupé
en très fines lamelles

600 ml de bouillon de poulet

6 tomates moyennes,
finement concassées

1 pincée de bicarbonate de soude

1 cuil. à soupe de sucre en poudre

150 ml de crème fraîche épaisse

sel et poivre

feuilles de basilic frais, en garniture

croûtons, en accompagnement

1 Faire fondre le beurre dans une casserole, et faire revenir 5 minutes l'oignon et le poulet.

2 Ajouter 300 ml de bouillon, les tomates et le bicarbonate de soude.

3 Porter à ébullition et laisser mijoter 20 minutes.

4 Laisser refroidir, puis mixer avec un robot de cuisine.

5 Remettre la soupe dans le casserole, ajouter le reste du bouillon, saler, poivrer et ajouter le sucre. Verser la soupe dans une soupière et ajouter la crème fraîche en volute. Garnir de basilic et servir avec des croûtons.

CONSEIL

Pour rendre cette soupe plus légère, remplacez la crème fraîche épaisse par de la crème allégée et ne mettez pas de sucre.

VARIANTE

Pour une soupe à l'italienne, ajoutez une cuillerée à soupe de basilic frais haché à l'étape 2. Pour une soupe plus épicée, ajoutez 1/2 cuillerée à café de curry ou de piment en poudre.

Soupe de wontons au poulet

4 à 6 personnes

INGRÉDIENTS

FARCE	2 oignons verts, émincés	SOUPE
350 g de poulet, haché	1 cuil. à café d'huile de sésame	1,5 l de bouillon de poulet
1 cuil. à soupe de sauce de soja	1 blanc d'œuf	1 cuil. à soupe de sauce de soja claire
1 cuil. à café de gingembre frais râpé	1/2 cuil. à café de maïzena	1 oignon vert, émincé
1 gousse d'ail, hachée	1/2 cuil. à café de sucre	1 petite carotte, découpée
2 cuil. à soupe de xérès	environ 35 carrés de pâte à wonton	en très fines rondelles

1 Dans une grande terrine, mélanger tous les ingrédients de la farce.

2 Disposer une cuillerée de farce au centre de chaque carré de pâte à wonton.

3 Humidifier les bords de la pâte et les replier de manière à former un ravioli.

4 Porter à ébullition les raviolis 1 minute jusqu'à ce qu'ils remontent à la surface. Les retirer à l'aide d'une écumoire et réserver.

5 Porter le bouillon de poulet à ébullition. Ajouter la sauce de soja, l'oignon vert et la carotte.

6 Plonger les wontons dans la soupe et laisser frémir pendant 2 minutes. Servir.

VARIANTE

Vous pouvez remplacer le poulet par du porc haché.

CONSEIL

Vous pouvez préparer une double quantité de wontons et congeler le surplus en séparant les carrés par une feuille de papier sulfurisé. Glissez le tout dans un sac de congélation. Les faire décongeler soigneusement avant de les utiliser.

Pommes de terre farcies au poulet

4 personnes

INGRÉDIENTS

4 grosses pommes de terre
250 g de blanc de poulet, cuit
4 oignons verts

250 g de fromage frais à tartiner
ou de fromage blanc allégé
poivre

chou cru (coleslaw), salade verte
ou mesclun, en accompagnement

1 Gratter les pommes de terre et les piquer sur toute leur surface avec une fourchette. Les faire cuire au four préchauffé, 50 minutes environ à 210 °C (th. 7), jusqu'à ce qu'elles soient tendres, ou 12 à 15 minutes au micro-ondes à puissance maximale.

2 À l'aide d'un couteau tranchant, couper le poulet en dés, éplucher les oignons verts et les couper en tranches épaisses. Mélanger avec le fromage.

3 Entailler en croix le dessus de chaque pomme de terre et écarter légèrement les bords. Mettre la farce dans les pommes de terre et saupoudrer de poivre noir fraîchement moulu. Servir immédiatement avec du chou cru (coleslaw) en salade, une salade verte ou du mesclun.

CONSEIL

Pour obtenir un plat plus riche, vous pouvez remplacer le fromage blanc allégé par du fromage entier ou encore ajouter 2 ou 3 cuillerées de crème fraîche à la farce.

VARIANTE

Pour un autre type de farce, faites revenir 250 g de champignons de Paris dans un peu de beurre. Mélangez avec le poulet et ajoutez 150 g de yaourt nature, une cuillerée à soupe de concentré de tomates et 2 cuillerées à café de poudre de curry doux. Mélangez bien et remplissez les pommes de terre avec cette préparation.

Pilons de poulet à la sauce à la mangue

4 personnes

INGRÉDIENTS

8 pilons de poulet, sans peau

3 cuil. à soupe de chutney
à la mangue

2 cuil. à café de moutarde de Dijon

2 cuil. à café d'huile

1 cuil. à café de paprika

1 cuil. à café de graines de moutarde
noire, grossièrement pilées

1/2 cuil. à café de curcuma

2 gousses d'ail, hachées

sel et poivre

SAUCE

1 mangue, coupée en dés

1 tomate, finement concassée

1/2 oignon rouge, émincé

2 cuil. à soupe de coriandre fraîche
hachée

1 À l'aide d'un couteau tranchant, faire 3 ou 4 entailles dans les pilons. Mettre dans un plat à rôtir.

2 Mélanger dans une terrine chutney à la mangue, moutarde, huile, épices, ail, sel et poivre. Verser sur les pilons, en les retournant jusqu'à ce qu'ils soient badigeonnés sur toutes leurs faces.

3 Faire cuire au four préchauffé, 40 minutes à 210 °C (th. 7), en badigeonnant plusieurs fois les pilons avec la préparation au cours de la cuisson. La viande doit être bien dorée, et le jus qui s'en écoule doit être clair.

4 Pour la sauce, mélanger la mangue, la tomate, l'oignon et la coriandre. Saler, poivrer et réfrigérer jusqu'à utilisation.

5 Disposer les pilons sur un plat, et servir chaud ou froid avec la sauce à la mangue.

VARIANTE

Remplacez le curcuma par de la poudre de curry doux.

Tartines au poulet

6 personnes

INGRÉDIENTS

6 tranches de pain épaisses,
   ou 1 baguette coupée dans
   le sens de la longueur, coupée en
   6 morceaux, et beurrées
3 œufs durs, le jaune haché
   et le blanc émincé

25 g de beurre, en pommade
2 cuil. à soupe de moutarde anglaise
1 cuil. à café d'essence d'anchois
250 g de cheddar, râpé
3 blancs de poulet, sans peau,
   cuits et coupés en dés

12 rondelles de tomates
12 rondelles de concombre
poivre

1 Enlever la croûte
   du pain (facultatif).

2 Réserver séparément
   le jaune et le blanc
d'un œuf.

3 Mélanger dans
   une terrine les œufs
restants, le beurre en
pommade, la moutarde
anglaise et l'essence
d'anchois. Saler et
poivrer.

4 Incorporer le cheddar
   râpé et le poulet,
et étaler cette préparation
sur le pain.

5 Disposer sur la
   préparation au poulet
des rangées alternées de
jaune et de blanc d'œuf.
Disposer les rondelles de
tomate et de concombre
sur l'œuf et servir.

CONSEIL

*Pour avoir un goût moins
fort, utilisez une moutarde
plus douce. Vous pouvez
ajouter de la mayonnaise
et décorer avec du cresson.*

VARIANTE

*Pour une texture plus
croquante, ajoutez 50 g
de lard grillé, coupé en dés
au mélange poulet et fromage.*

CONSEIL

*Pour ramollir le beurre,
laissez-le 30 minutes à
température ambiante ou
battez-le dans un bol avec une
fourchette. On trouve dans le
commerce du beurre dit tendre,
qui a la consistance voulue.*

Pepperonata au poulet

4 personnes

INGRÉDIENTS

8 hauts de cuisse de poulet,
sans peau
2 cuil. à soupe de farine complète
2 cuil. à soupe d'huile d'olive
1 petit oignon, émincé
1 gousse d'ail, hachée

3 gros poivrons (1 vert, 1 rouge,
1 jaune), coupés en fines lanières
400 g de tomates concassées
en boîte
1 cuil. à soupe d'origan haché
sel et poivre

origan frais, en garniture
pain complet frais,
en accompagnement

1 Retirer la peau des hauts de cuisse de poulet et les fariner.

2 Faire chauffer l'huile dans une sauteuse et faire dorer le poulet à feu vif. Retirer le poulet, mettre l'oignon dans la sauteuse et le faire revenir à feu doux, jusqu'à ce qu'il soit tendre. Ajouter l'ail, les poivrons, les tomates et l'origan. Porter à ébullition sans cesser de remuer.

3 Mettre le poulet sur les légumes, bien saler et poivrer. Couvrir et laisser mijoter 20 à 25 minutes, ou jusqu'à ce que le poulet soit tendre et bien cuit.

4 Saler, poivrer, décorer avec l'origan et servir avec du pain complet frais.

CONSEIL

Si vous n'avez pas d'origan frais, utilisez des tomates en boîte déjà assaisonnées avec des aromates.

CONSEIL

Pour renforcer le goût, coupez les poivrons en deux et passez-les sous un gril préchauffé jusqu'à ce que la peau soit carbonisée. Laissez-les refroidir, puis épluchez-les et épépinez-les. Coupez-les en fines lanières, que vous utiliserez comme indiqué dans la recette.

Croquettes au poulet et aux aromates

8 bouchées

INGRÉDIENTS

500 g de pommes de terre, réduites
en purée avec du beurre
250 g de poulet, cuit et coupé
en cubes
125 g de jambon cuit, coupé
en dés

1 cuil. à soupe d'aromates mélangés
2 œufs, légèrement battus
lait
125 g de panure de pain bis
huile, pour la friture
sel et poivre

brins de persil frais, en garniture
mesclun, en accompagnement

1 Mélanger dans une terrine les pommes de terre, le poulet, le jambon et un œuf. Saler et poivrer.

2 Faire des croquettes rondes ou aplaties avec cette préparation.

3 Mélanger le second œuf avec un peu de lait.

4 Mettre la panure dans une assiette. Plonger les croquettes dans le mélange œuf-lait, puis les passer dans la chapelure de façon à bien les enrober.

5 Faire chauffer l'huile dans une grande poêle et faire dorer les croquettes. Décorer avec des brins de persil frais et servir avec du mesclun.

CONSEIL

Ces croquettes seront encore plus savoureuses si vous y ajoutez un mélange d'estragon et de persil frais hachés.

CONSEIL

Pour faire une sauce piquante à la tomate, faites chauffer 200 ml de coulis de tomates et 4 cuillerées à soupe de vin blanc sec. Assaisonnez, retirez du feu et ajoutez 4 cuillerées à soupe de yaourt nature. Remettez sur le feu et ajoutez de la poudre de piment à volonté.

Poulet en croûte d'avoine

4 personnes

INGRÉDIENTS

25 g de flocons d'avoine	1 blanc d'œuf	sel et poivre
1 cuil. à soupe de romarin frais haché	150 g de fromage frais allégé	salade de carottes râpées,
4 morceaux de poulet, sans peau	2 cuil. à soupe de moutarde	en accompagnement

1 Mélanger flocons d'avoine, romarin, sel et poivre dans une assiette.

2 Enduire le poulet de blanc d'œuf, le rouler dans le mélange. Placer le poulet sur une plaque et cuire 40 minutes au four préchauffé à 200 °C (th. 6-7). Vérifier si le poulet est cuit en le piquant dans sa partie la plus charnue : le jus qui s'en écoule doit être clair.

3 Mélanger fromage frais et moutarde, saler et poivrer. Goûter et rectifier l'assaisonnement. Servir chaud ou froid avec la sauce et une salade de carottes râpées.

VARIANTE

Pour faire des nuggets de poulet, découpez 4 morceaux de poulet, sans peau et désossé, en petits morceaux. Réduire la cuisson à 10 minutes jusqu'à ce qu'ils soient cuits. Ces nuggets seront parfaits pour un pique-nique, un buffet ou une fête d'enfants.

VARIANTE

Ajoutez 1 cuillerée à soupe de graines de sésame ou de tournesol à l'avoine. Essayez d'autres fines herbes à la place du romarin.

Salmigondis

4 personnes

INGRÉDIENTS

1 grosse laitue

4 blancs de poulet, cuits et coupés
en tranches fines

8 rollmops et leur marinade

6 œufs durs, coupés en quartiers

125 g de jambon cuit, coupé
en tranches fines

12 échalotes, bouillies

125 g de rosbif, coupé
en tranches fines

125 g d'agneau rôti, coupé
en tranches fines

150 g de pois mange-tout, cuits

125 g de raisin noir, épépiné

20 olives farcies, coupées
en rondelles

60 g d'amandes effilées

60 g de raisin de Smyrne

2 oranges

1 brin de menthe

sel et poivre

pain frais, en accompagnement

1 Garnir le fond
d'un grand plat ovale
avec les feuilles de laitue.

2 Disposer le poulet
en trois triangles
convergeant au centre
du plat.

3 Disposer les rollmops,
les œufs et les viandes
en rangées alternées entre
les triangles de poulet.

4 Remplir les espaces
libres avec les pois
mange-tout, le raisin noir,
les olives, les échalotes,
les amandes et le raisin de
Smyrne.

5 Râper le zeste
des oranges
et en parsemer toute
la surface du plat. Éplucher
les oranges, les couper
en rondelles et mettre
ces rondelles et le brin de
menthe sur le plat.
Bien saler et poivrer.
Arroser avec la marinade
des rollmops et servir.

VARIANTE

*Vous pouvez servir ce plat
avec des légumes cuits froids
(haricots verts coupés
en morceaux, mini-épis
de maïs et betteraves cuites,
par exemple).*

Pan bagna au poulet

6 personnes

INGRÉDIENTS

1 baguette	20 g de filets d'anchois en boîte	8 grosses olives noires, dénoyautées
1 gousse d'ail	50 g de poulet rôti froid	et coupées en morceaux
125 ml d'huile d'olive	2 tomates, coupées en rondelles	poivre noir

1 À l'aide d'un couteau tranchant, couper la baguette en deux dans le sens de la longueur et l'ouvrir.

2 Couper la gousse d'ail en deux et en frotter l'intérieur du pain.

3 Arroser le pain d'huile.

4 Égoutter les anchois et réserver.

5 Couper le poulet en tranches fines et disposer ces tranches sur le pain. Mettre les tomates et les anchois égouttés sur le poulet.

6 Parsemer de morceaux d'olive noire et poivrer généreusement. Refermer le sandwich et bien l'envelopper dans du papier d'aluminium en attendant de le servir, coupé en tranches.

CONSEIL

Pour obtenir une saveur encore plus aromatique, mettez des feuilles de basilic frais entre les rondelles de tomate. Utilisez une huile d'olive de bonne qualité, qui renforcera le goût.

VARIANTE

Remplacez la baguette par du pain italien (ciabatta ou focaccia aux olives). Les différentes sortes de pains sont l'objet d'un intérêt grandissant depuis quelques années, et on trouve aujourd'hui dans le commerce un grand choix de pains de tous les pays.

Poulet Coronation

6 personnes

INGRÉDIENTS

4 cuil. à soupe d'huile d'olive

900 g de poulet, coupé en dés

125 g de lard fumé, découenné
    et coupé en dés

12 petites échalotes, émincées

2 gousses d'ail, hachées

1 cuil. à soupe de poudre
    de curry doux

300 ml de mayonnaise

1 cuil. à soupe de miel liquide

1 cuil. à soupe de persil frais haché

90 g de raisin noir, en quartiers

poivre

riz au safran froid,
    en accompagnement

1 Faire chauffer l'huile dans une sauteuse et ajouter le poulet, le lard, les échalotes, l'ail et la poudre de curry. Faire cuire environ 15 minutes à feu doux.

2 Verser la préparation dans une terrine.

3 Laisser refroidir complètement la préparation et poivrer.

4 Mélanger la mayonnaise avec le miel, et ajouter le persil. Ajouter le poulet et mélanger.

5 Mettre la préparation dans un plat creux, garnir avec le raisin et servir avec du riz au safran froid.

CONSEIL

Utilisez cette recette pour farcir des pommes de terre ou comme garniture de sandwich, coupez alors le poulet en plus petits morceaux.

VARIANTE

À l'étape 4, ajoutez à la sauce 2 cuillerées à soupe d'abricots frais coupés en morceaux et 2 cuillerées à soupe d'amandes effilées. Pour rendre ce plat plus léger, remplacez la mayonnaise par la même quantité de yaourt nature et ne mettez pas de miel, sinon la sauce sera trop liquide.

Rillettes de poulet fumé

4 à 6 personnes

INGRÉDIENTS

350 g de poulet fumé, coupé
    en cubes
1 pincée de noix muscade râpée
1 pincée de macis

125 g de beurre, en pommade
2 cuil. à soupe de porto
2 cuil. à soupe de crème fraîche
    épaisse

sel et poivre
brins de persil frais, en garniture
tranches de pain bis et beurre frais,
    en accompagnement

1 Mettre le poulet fumé dans une terrine avec tous les autres ingrédients. Saler et poivrer.

2 Mixer dans un robot de cuisine jusqu'à obtention d'une préparation très homogène.

3 Mettre cette préparation dans des bols de faïence individuels ou dans une grande terrine.

4 Couvrir chaque bol avec du papier sulfurisé beurré et poser dessus des boîtes de conserve ou des poids. Réfrigérer 4 heures.

5 Enlever le papier sulfurisé et arroser de beurre clarifié (voir « conseil »).

6 Garnir avec des brins de persil et servir avec des tranches de pain bis beurré.

CONSEIL

Ce plat peut se garder 2 à 3 jours au réfrigérateur, mais pas plus car il ne contient aucun conservateur. Il peut se garder au congélateur un mois maximum.

CONSEIL

Pour faire le beurre clarifié : mettez 250 g de beurre dans une casserole et faites chauffer à feu doux en écumant la mousse – les particules en suspension tomberont au fond de la casserole. Quand le beurre a complètement fondu, retirez la casserole du feu et laissez reposer 4 minutes au moins. Filtrez le beurre dans une terrine à travers une étamine. Laissez le beurre refroidir un peu avant d'en arroser les rillettes de poulet.

Pilons à l'ail et au fromage

6 personnes

INGRÉDIENTS

15 g de beurre
1 gousse d'ail, hachée
3 cuil. à soupe de persil frais haché
125 g de ricotta

4 cuil. à soupe de parmesan râpé
3 cuil. à soupe de chapelure
12 pilons de poulet
sel et poivre

rondelles de citron, en garniture
mesclun, en accompagnement

1 Faire fondre le beurre dans une casserole. Ajouter l'ail et faire cuire 1 minute à feu doux en remuant. L'ail ne doit pas dorer.

2 Retirer du feu et ajouter persil, fromages et chapelure. Saler et poivrer.

3 Écarter délicatement la peau des pilons de la partie charnue.

4 Mettre à peu près 2 cuillerées à café de farce sous la peau de chaque pilon. Disposer les pilons dans un plat à rôtir.

5 Faire cuire 45 minutes au four préchauffé à 195 °C (th. 6-7). Garnir avec des rondelles de citron et servir chaud ou froid.

CONSEIL

Vous pouvez remplacer le parmesan par un fromage fort (du cheddar bien fait, par exemple, ou un autre fromage italien, comme le pecorino).

CONSEIL

Le parmesan fraîchement râpé a plus de goût que le parmesan acheté déjà râpé. Râpez juste la quantité dont vous avez besoin, et enveloppez le reste dans du papier d'aluminium ; il se gardera ainsi plusieurs mois au réfrigérateur.

Toasts au fromage et au poulet

4 personnes

INGRÉDIENTS

250 g de wensleydale, râpé

250 g de poulet, cuit et coupé
en petites lamelles

15 g de beurre

1 cuil. à soupe de sauce Worcester

1 cuil. à café de moutarde anglaise
déshydratée

2 cuil. à café de farine

4 cuil. à soupe de bière blonde

4 tranches de pain de mie

sel et poivre

1 cuil. à soupe de persil frais haché,
en garniture

tomates cerises, en accompagnement

1 Mettre dans une casserole le wensleydale râpé, le poulet, le beurre, la sauce Worcester, la farine et la bière. Mélanger, saler et poivrer.

2 Porter à ébullition à feu doux, puis retirer immédiatement la casserole du feu.

3 Avec une cuillère en bois, tourner vigoureusement la préparation jusqu'à obtention d'une consistance très crémeuse. Laisser refroidir.

4 Faire griller les tranches de pain de mie des deux côtés et les tartiner avec la préparation au poulet.

5 Passer sous un gril chaud jusqu'à ce que le dessus soit bien doré et bouillonne.

6 Parsemer de persil haché et servir avec des tomates cerises.

CONSEIL

Le wensleydale (du nom de la ville où il est fabriqué) est un fromage à pâte persillée au goût assez fort. Vous pouvez éventuellement le remplacer par du stilton.

Salade de poulet Waldorf

4 personnes

INGRÉDIENTS

500 g de pommes rouges, en dés	4 petites échalotes, émincées	1 romaine
3 cuil. à soupe de jus de citron frais	1 gousse d'ail, hachée	poivre
150 ml de mayonnaise allégée	90 g de noix, hachées	tranches de pomme et noix,
1 pied de céleri	500 g de poulet, cuit et coupé en dés	en garniture

1 Mettre les pommes dans une terrine avec le jus de citron et une cuillerée à soupe de mayonnaise. Laisser reposer 40 minutes.

2 À l'aide d'un couteau tranchant, couper le céleri en tranches très fines.

3 Ajouter aux pommes le céleri, les échalotes, l'ail et les noix, et mélanger.

4 Incorporer la mayonnaise restante et bien mélanger.

5 Ajouter le poulet et bien mélanger.

6 Garnir de feuilles de romaine le fond d'un saladier ou d'un plat en verre. Mettre la salade de poulet au milieu, poivrer et garnir avec les tranches de pomme et les noix.

CONSEIL

Faire tremper les pommes dans du jus de citron leur évite de s'oxyder.

CONSEIL

Pour obtenir un goût moins fort, remplacez les échalotes par des oignons verts. Parez les oignons verts et émincez-les.

Salade de poulet épicée Old English

4 personnes

INGRÉDIENTS

250 g de jeunes feuilles d'épinard
3 branches de céleri, émincées
1/2 concombre
2 oignons verts
3 cuil. à soupe de persil frais haché
350 g de poulet rôti, désossé
    et émincé

SAUCE
1 morceau de gingembre frais
    de 2,5 cm, finement râpé
3 cuil. à soupe d'huile d'olive
1 cuil. à soupe de miel liquide
1 cuil. à soupe de vinaigre
    de vin blanc

1/2 cuil. à café de cannelle en poudre
sel et poivre
amandes fumées, en garniture
    (facultatif)

1 Bien laver les feuilles d'épinard et les sécher avec du papier absorbant.

2 À l'aide d'un couteau tranchant, couper en rondelles fines le céleri, le concombre et les oignons verts. Mélanger dans une terrine avec les feuilles d'épinard et le persil.

3 Répartir dans des assiettes et disposer le poulet sur la salade.

4 Mettre dans un pot à couvercle à pas de vis tous les ingrédients de la sauce, et bien agiter.

5 Saler, poivrer la sauce, et la verser sur la salade. Parsemer d'amandes fumées (facultatif).

VARIANTE

Vous pouvez remplacer les épinards par de la mâche.

VARIANTE

Les jeunes feuilles d'épinard se marient particulièrement bien avec les fruits. Pour obtenir une salade encore plus rafraîchissante, ajoutez quelques framboises fraîches ou des tranches de nectarine.

Suprême de poulet et salade au bleu et aux poires

6 personnes

INGRÉDIENTS

50 ml d'huile d'olive

6 petites échalotes, émincées

1 gousse d'ail, hachée

2 cuil. à soupe d'estragon frais haché

1 cuil. à soupe de moutarde anglaise

6 blancs de poulet, sans peau

1 cuil. à soupe de farine

150 ml de bouillon de poulet

1 pomme, coupée en dés

1 cuil. à soupe de noix hachées

2 cuil. à soupe de crème fraîche
    épaisse

sel et poivre

SALADE

250 g de riz cuit

2 grosses poires, coupées en dés

150 g de bleu, coupé en dés

1 poivron rouge, coupé en dés

1 cuil. à soupe de coriandre fraîche
    hachée

1 cuil. à soupe d'huile de sésame

1 Mettre dans une terrine l'huile d'olive, les échalotes, l'ail, l'estragon et la moutarde. Saler, poivrer et bien mélanger.

2 Tremper les blancs de poulet dans cette marinade, couvrir avec du film alimentaire et réfrigérer environ 4 heures.

3 Égoutter le poulet et réserver la marinade.

Faire revenir le poulet dans une grande poêle antiadhésive, 4 minutes des deux côtés. Mettre le poulet dans un plat chaud.

4 Verser la marinade dans la poêle, porter à ébullition et saupoudrer de farine. Ajouter le bouillon, la pomme et les noix, et laisser mijoter pendant 5 minutes. Remettre le poulet dans la sauce, ajouter la crème fraîche et laisser cuire 2 minutes.

5 Mélanger les ingrédients de la salade, mettre un peu de salade dans chaque assiette et y disposer un blanc de poulet. Arroser d'une cuillerée de sauce et servir.

Plats rapides

Le poulet présente l'avantage de cuire très vite quand il est coupé en petits morceaux. C'est précieux pour ceux et celles qui ne peuvent pas passer beaucoup de temps dans leur cuisine. Ce chapitre contient des recettes de plats à la fois nourrissants, savoureux et rapides à préparer. Les pâtes forment avec le poulet une association idéale, car elles cuisent elles aussi rapidement. Les Torsades au poulet, par exemple, font beaucoup d'effet tout en ne demandant que peu de temps de préparation : les blancs de poulet sont cuits avec une délicieuse garniture d'ail, de noisettes et de basilic, puis servis sur un lit de pâtes, d'olives et de tomates séchées. Coupé en plus petits morceaux, le poulet se prête aussi très bien à des recettes dans lesquelles, sauté à la poêle, il est tendre, moelleux et délicieux.

Essayez par exemple le Sauté de poulet aux cacahuètes, un plat croustillant servi avec du vermicelle. Le risotto est aussi un excellent choix pour les gens pressés ; deux recettes de risotto, sélectionnées parmi les innombrables variantes de ce plat, figurent dans ce chapitre.

Poulet Arlequin

4 personnes

INGRÉDIENTS

10 hauts de cuisse de poulet, désossés et sans peau	3 poivrons moyens (1 jaune, 1 rouge, 1 vert)	2 cuil. à soupe de persil frais haché poivre
1 oignon moyen	400 g de tomates concassées en boîte	pain complet et salade verte, en accompagnement
1 cuil. à soupe d'huile de tournesol		

1 À l'aide d'un couteau tranchant, découper les hauts de cuisse en petits morceaux.

2 Éplucher et émincer l'oignon. Couper les poivrons en deux, les épépiner et les couper en petits losanges.

3 Faire chauffer l'huile dans une poêle. Ajouter le poulet et l'oignon, et faire revenir.

4 Ajouter les poivrons et faire cuire 2 à 3 minutes. Ajouter les tomates et le persil, mélanger et poivrer.

5 Bien couvrir et laisser mijoter 15 minutes environ, jusqu'à ce que le poulet et les légumes soient tendres. Servir chaud avec du pain complet et une salade verte.

CONSEIL

Vous pouvez remplacer le persil frais par du persil séché, mais divisez alors par deux la quantité indiquée.

CONSEIL

Si vous faites ce plat pour des enfants, coupez le poulet en plus petits morceaux, ou hachez-le.

Écrins de poulet et de légumes printaniers à la vapeur

4 personnes

INGRÉDIENTS

4 blancs de poulet, sans peau	250 g de jeunes carottes	250 g de feuilles d'épinard
1 cuil. à café de lemon-grass finement haché	250 g de jeunes courgettes	2 cuil. à café d'huile de sésame
2 oignons verts, finement hachés	2 branches de céleri	sel et poivre
	1 cuil. à café de sauce de soja claire	

1 À l'aide d'un couteau tranchant, fendre largement le côté de chaque blanc de poulet. Parsemer l'intérieur de la fente de lemon-grass, de sel et de poivre. Ajouter les oignons verts dans la fente.

2 Couper en julienne les carottes, les courgettes et le céleri. Blanchir 1 minute dans une casserole d'eau bouillante, égoutter soigneusement et mélanger avec la sauce de soja dans une terrine.

3 Mettre les légumes à l'intérieur des blancs de poulet et bien refermer. Réserver l'éventuel excédent de légumes. Laver les feuilles d'épinard, égoutter et sécher avec du papier absorbant. Envelopper hermétiquement les blancs de poulet dans les feuilles d'épinard. Si elles sont trop rigides pour se plier facilement, les faire cuire quelques secondes à la vapeur, jusqu'à ce qu'elles ramollissent.

4 Mettre les écrins dans un cuiseur à vapeur et faire cuire 20 à 25 minutes au-dessus d'une eau portée rapidement à ébullition.

5 Faire sauter l'excédent de légumes réservé et d'épinards, s'il y en a, 1 à 2 minutes dans l'huile de sésame, et servir avec le poulet.

Poulet aux deux poivrons

4 personnes

INGRÉDIENTS

2 cuil. à soupe d'huile d'olive
2 oignons moyens, finement hachés
2 gousses d'ail, hachées
4 poivrons (2 rouges et 2 jaunes),
coupés en morceaux
1 bonne pincée de poivre de Cayenne

2 cuil. à café de concentré
de tomates
1 pincée de basilic séché
4 blancs de poulet, sans peau
150 ml de vin blanc sec
150 ml de bouillon de poulet

bouquet garni
sel et poivre
fines herbes fraîches,
en garniture

1 Prendre deux casseroles et faire chauffer une cuillerée à soupe d'huile dans chacune. Mettre dans l'une la moitié des oignons hachés, une gousse d'ail, les poivrons rouges, le poivre de Cayenne et le concentré de tomates. Mettre dans l'autre l'oignon et l'ail restants, les poivrons jaunes et le basilic.

2 Couvrir les casseroles et faire cuire une heure à feu très doux, jusqu'à ce que les poivrons soient tendres. Si l'une des préparations risque d'attacher, ajouter un peu d'eau. Les mixer séparément au robot de cuisine, puis les passer séparément.

3 Remettre dans leur casserole respective, saler et poivrer. Les deux sauces peuvent être réchauffées à feu doux pendant la cuisson du poulet.

4 Mettre les blancs de poulet dans une poêle, mouiller avec le vin et le bouillon. Ajouter le bouquet garni et porter le liquide à faible ébullition. Faire cuire 20 minutes, jusqu'à ce que la viande soit tendre.

5 Verser une part de chaque sauce dans 4 assiettes, couper le poulet en tranches et disposer dans les assiettes. Garnir avec les fines herbes fraîches.

CONSEIL

Vous pouvez faire votre propre bouquet garni en liant vos herbes aromatiques préférées, ou en enveloppant des herbes séchées dans de la mousseline. Un bouquet garni se compose souvent de thym, de persil et de laurier.

Risotto au poulet à la milanaise

4 personnes

INGRÉDIENTS

125 g de beurre

900 g de viande de poulet, émincée

1 gros oignon, haché

500 g de riz rond

600 ml de bouillon de poulet

150 ml de vin blanc

1 cuil. à café de safran écrasé

sel et poivre

60 g de parmesan, râpé,
en accompagnement

1 Faire chauffer 60 g de beurre dans une sauteuse, et faire revenir le poulet et l'oignon.

2 Ajouter le riz, bien mélanger et faire cuire 15 minutes.

3 Porter le bouillon à ébullition et l'incorporer progressivement au riz. Ajouter le vin blanc et le safran, saler, poivrer et bien mélanger. Laisser mijoter 20 minutes, en remuant de temps en temps et en ajoutant du bouillon si le riz devient trop sec.

4 Laisser reposer quelques minutes. Juste avant de servir, ajouter un peu de bouillon et laisser encore mijoter 10 minutes. Servir le risotto, saupoudré de parmesan râpé et parsemé de noix de beurre.

CONSEIL

Les grains de riz d'un risotto doivent être moelleux mais rester dissociés. Ajoutez le bouillon par petites quantités, et seulement quand l'ajout précédent a été entièrement absorbé.

VARIANTE

Le risotto peut se décliner d'une multitude de façons. Vous pouvez par exemple y ajouter, en fin de cuisson, des noix de cajou et du maïs, des courgettes légèrement sautées et du basilic, ou des artichauts et des pleurotes.

Poulet à l'élisabéthaine

4 personnes

INGRÉDIENTS

15 g de beurre	1 cuil. à soupe de vinaigre de cidre	120 ml de crème fraîche épaisse
1 cuil. à soupe d'huile de tournesol	175 g de grains de raisin, épépinés	maïzena, pour lier (facultatif)
4 blancs de poulet, sans peau	et coupés en deux	sel et poivre
4 échalotes, finement hachées	1 cuil. à café de noix muscade	
150 ml de bouillon de poulet	fraîchement râpée	

1 Faire chauffer le beurre et l'huile dans une cocotte ou dans une poêle, et faire revenir les blancs de poulet, en les retournant une fois. Retirer les blancs et les réserver au chaud.

2 Mettre les échalotes dans la cocotte ou la poêle, et faire cuire à feu doux jusqu'à ce qu'elles soient tendres et légèrement dorées. Ajouter les blancs de poulet.

3 Mouiller avec le bouillon de poulet et le vinaigre. Porter à ébullition, couvrir et laisser mijoter 10 à 12 minutes en remuant de temps en temps.

4 Disposer le poulet dans un plat. Mettre le raisin, la crème fraîche et la noix muscade dans la cocotte ou la poêle. Saler, poivrer et bien faire chauffer. Ajouter un peu de maïzena pour épaissir la sauce (facultatif). Verser la sauce sur le poulet et servir.

VARIANTE

Vous pouvez mettre un peu de vin blanc sec ou de vermouth dans la sauce dans l'étape 3.

Sauté de poulet aux cacahuètes

4 personnes

INGRÉDIENTS

300 g de courgettes
250 g de mini-épis de maïs
300 g de champignons de Paris
250 g de vermicelle aux œufs
2 cuil. à soupe d'huile de maïs
1 cuil. à soupe d'huile de sésame

8 hauts de cuisse de poulet désossés
ou 4 blancs de poulet, émincés
350 g de germes de soja
4 cuil. à soupe de beurre
de cacahuète
2 cuil. à soupe de sauce de soja

2 cuil. à soupe de jus de citron
ou de citron vert
60 g de cacahuètes grillées
poivre
coriandre fraîche, en garniture

1 À l'aide d'un couteau tranchant, couper en rondelles fines les courgettes et les mini épis de maïs, et émincer les champignons.

2 Porter à ébullition une casserole d'eau légèrement salée et faire cuire le vermicelle 3 à 4 minutes. Pendant ce temps, faire chauffer l'huile de maïs et l'huile de sésame dans une grande sauteuse ou dans un wok. Faire revenir le poulet 1 minute à feu assez vif.

3 Ajouter les courgettes, le maïs et les champignons. Faire sauter 5 minutes.

4 Ajouter les germes de soja, le beurre de cacahuète, la sauce de soja et le jus de citron ou de citron vert. Faire cuire encore 2 minutes.

5 Égoutter le vermicelle, le disposer dans un plat et le parsemer de cacahuètes. Servir avec le poulet, les légumes sautés et garni d'un brin de coriandre fraîche.

CONSEIL

Vous pouvez servir ce plat avec du vermicelle de riz, des pâtes rubans translucides, faites à base de farine de riz.

Poulet au jambon de Parme

4 personnes

INGRÉDIENTS

125 g d'épinards surgelés, décongelés
125 g de ricotta
1 pincée de noix muscade râpée
4 blancs de poulet de 175 g, sans peau
4 tranches de jambon de Parme

25 g de beurre
1 cuil. à soupe d'huile d'olive
12 petits oignons ou 12 petites échalotes
125 g de champignons de Paris, émincés

1 cuil. à soupe de farine
150 ml de vin rouge ou de vin blanc sec
300 ml de bouillon de poulet
sel et poivre

1 Mettre les épinards dans une passoire et exprimer l'eau à l'aide d'une cuillère. Mélanger avec la ricotta et la noix muscade, saler et poivrer.

2 À l'aide d'un couteau tranchant, fendre largement le côté de chaque blanc de poulet et bien écarter les bords de la fente. Garnir l'intérieur avec la préparation aux épinards et refermer les blancs. Enrouler autour de chaque blanc de poulet une tranche de jambon de Parme et fixer à l'aide d'une pique à cocktail. Mettre dans un plat, couvrir et réfrigérer.

3 Faire chauffer le beurre et l'huile dans une poêle, et faire rissoler les blancs de poulet 2 minutes de chaque côté. Mettre dans un grand plat à gratin et réserver au chaud jusqu'à utilisation.

4 Faire revenir les oignons et les champignons 2 à 3 minutes, jusqu'à ce qu'ils soient légèrement dorés. Incorporer la farine, mouiller progressivement avec le vin et le bouillon. Porter à ébullition sans cesser de remuer. Saler, poivrer et disposer cette préparation autour du poulet.

5 Faire cuire à découvert 20 minutes au four préchauffé à 210 °C (th. 7). Retourner les blancs et remettre à cuire 10 minutes. Enlever les piques à cocktail et servir avec la sauce, accompagné éventuellement d'une purée de carottes et de haricots verts.

Blancs de poulet pochés à la sauce au whisky

6 personnes

INGRÉDIENTS

25 g de beurre

60 g de poireau, coupé en lanières

60 g de carottes, coupées en dés

60 g de céleri, coupé en dés

4 échalotes, émincées

600 ml de bouillon de poulet

6 blancs de poulet

50 ml de whisky

200 ml de crème fraîche

1 cuil. à café de miel chaud

2 cuil. à soupe de raifort
fraîchement râpé

1 cuil. à café de persil frais haché

sel et poivre

1 brin de persil frais, en garniture

1 Faire fondre le beurre dans une casserole, et ajouter le poireau, les carottes, le céleri et les échalotes. Faire cuire 3 minutes, mouiller avec la moitié du bouillon et laisser cuire 8 minutes environ.

2 Ajouter le reste du bouillon et porter à ébullition. Ajouter les blancs de poulet et laisser cuire 10 minutes.

3 Retirer le poulet et le couper en tranches

fines. Le mettre dans un grand plat chaud et tenir au chaud jusqu'à utilisation.

4 Faire chauffer le whisky dans une casserole jusqu'à ce qu'il réduise de moitié. Filtrer le bouillon au chinois, l'ajouter au whisky dans la casserole et laisser réduire de moitié.

5 Ajouter la crème fraîche, le raifort et le miel. Faire chauffer à feu doux, ajouter le persil haché, saler et poivrer. Bien mélanger.

6 Napper le poulet d'un peu de sauce au whisky et présenter le reste dans une saucière.

7 Servir avec des croquettes préparées avec les légumes restants, des pommes de terre en purée et des légumes frais. Garnir d'un brin de persil.

Poulet aux épices

2 à 3 personnes

INGRÉDIENTS

25 g de farine	25 g de beurre	125 g de raisin blanc
1 cuil. à soupe de poivre de Cayenne	1 oignon, finement haché	150 ml de crème fraîche
1 cuil. à café de paprika	450 ml de lait chaud	1 pincée de paprika, en garniture
350 g de poulet, désossé,	4 cuil. à soupe de compote	
sans peau et coupé en dés	de pommes	

1 Mélanger la farine, le poivre de Cayenne et le paprika, et en enrober le poulet.

2 Ôter l'excédent de farine. Faire fondre le beurre dans une casserole, faire cuire poulet et oignon 4 minutes à feu doux.

3 Incorporer la préparation à la farine et aux épices. Mouiller peu à peu avec le lait, en remuant jusqu'à épaississement.

4 Laisser mijoter pour que la sauce soit homogène.

5 Ajouter la compote de pommes et le raisin. Laisser mijoter 20 minutes.

6 Mettre le poulet et la sauce dans un plat. Napper de crème fraîche et saupoudrer de paprika.

VARIANTE

Pour rendre ce plat plus léger, remplacez la crème fraîche par du yaourt nature.

CONSEIL

Vous pouvez mettre plus de paprika. Ce n'est pas une épice très forte, et on peut en mettre beaucoup sans que son goût devienne envahissant.

Torsades au poulet

4 personnes

INGRÉDIENTS

4 filets de poulet, désossés
et sans peau
25 g de feuilles de basilic frais
15 g de noisettes
1 gousse d'ail, hachée

250 g de torsades complètes
2 tomates séchées ou fraîches
1 cuil. à soupe de jus de citron
1 cuil. à soupe d'huile d'olive
1 cuil. à soupe de câpres

60 g d'olives noires
sel et poivre

1 Aplatir les blancs de poulet à l'aide d'un rouleau à pâtisserie.

2 Hacher finement le basilic et les noisettes avec un robot de cuisine. Mélanger avec l'ail, le sel et le poivre.

3 Étaler la préparation au basilic sur les blancs de poulet, puis les enrouler autour la garniture. Les envelopper dans du papier d'aluminium, et bien fermer aux deux extrémités.

4 Porter à ébullition une casserole d'eau légèrement salée et faire cuire les pâtes al dente.

5 Mettre les rouleaux de poulet dans le panier d'un cuiseur à vapeur posé sur la casserole, bien couvrir et laisser cuire 10 minutes à la vapeur. Pendant ce temps, couper les tomates en dés.

6 Égoutter les pâtes et les remettre dans le casserole avec le jus de citron, l'huile d'olive, les tomates, les câpres et les olives. Bien faire chauffer.

7 Piquer une brochette dans le poulet pour vérifier qu'il est cuit (le jus qui s'écoule doit être clair, sans trace rosée). Couper le poulet en tranches, le disposer sur les pâtes et servir.

VARIANTE

Les tomates séchées sont très parfumées, mais si vous n'en trouvez pas, vous pouvez utiliser des tomates fraîches.

Poulet à l'ail

4 personnes

INGRÉDIENTS

4 filets de poulet, en partie désossés
125 g d'épinards surgelés, décongelés
150 g de ricotta
2 gousses d'ail, hachées
1 cuil. à soupe d'huile d'olive

1 oignon, haché
1 poivron rouge, coupé en morceaux
400 g de tomates concassées
en boîte
sel et poivre

6 cuil. à soupe de vin ou de bouillon
de poulet
10 olives farcies, coupées
en rondelles
pâtes, en accompagnement

1 Faire une entaille sur le côté de chaque blanc de poulet, entre la peau et la chair. Soulever la peau en veillant à ce qu'elle ne se détache pas de l'autre côté.

2 Mettre les épinards dans une passoire et exprimer l'eau à l'aide d'une cuillère. Mélanger avec la ricotta, la moitié de l'ail, du sel et du poivre.

3 Glisser le quart de cette préparation sous la peau de chaque blanc de poulet, et fixer le bord à l'aide d'une pique à cocktail.

4 Faire chauffer l'huile dans une poêle, ajouter l'oignon et faire revenir une minute en remuant. Ajouter l'ail restant et le poivron rouge, et faire cuire 2 minutes. Ajouter les tomates, le vin ou le bouillon de poulet, les olives, du sel et du poivre, et mélanger. Réserver la sauce et réfrigérer le poulet si cette première étape de la recette a été faite à l'avance.

5 Porter la sauce à ébullition, verser dans une cocotte allant au four et disposer les blancs de poulet dessus, en une seule couche.

6 Faire cuire à découvert au four préchauffé, 35 minutes à 210 °C (th. 7), jusqu'à ce que le poulet soit doré et bien cuit. Vérifier la cuisson en piquant l'un des blancs avec une brochette ; le jus qui s'écoule doit être clair, sans aucune trace rosée. Napper les blancs avec la sauce, et disposer dans un plat. Servir avec des pâtes.

Bâtonnets de poulet et sauces froides

2 personnes

INGRÉDIENTS

2 blancs de poulet	SAUCE AUX CACAHUÈTES	SAUCE TOMATE
15 g de farine	4 cuil. à soupe de yaourt nature	5 cuil. à soupe de fromage frais, battu
1 cuil. à soupe d'huile de tournesol	3 cuil. à soupe de beurre	1 tomate moyenne
	de cacahuète	2 cuil. à café de concentré de tomates
	1 cuil. à café de zeste d'orange râpé	1 cuil. à café de ciboulette fraîche
	jus d'orange (facultatif)	hachée

1 À l'aide d'un couteau tranchant, couper le poulet en bâtonnets. Enrober de farine.

2 Faire chauffer l'huile dans une poêle et faire revenir le poulet jusqu'à ce qu'il soit doré et bien cuit. Retirer le poulet de la poêle et bien l'égoutter sur du papier absorbant.

3 Pour la sauce aux cacahuètes, mélanger tous les ingrédients dans une terrine. Ajouter un peu de jus d'orange pour fluidifier la sauce (facultatif).

4 Pour la sauce tomate, concasser la tomate et la mélanger avec les autres ingrédients.

5 Servir les bâtonnets de poulet avec les sauces froides et un assortiment de bâtonnets de légumes.

VARIANTE

Pour une version plus légère de ce plat, pochez les bâtonnets de poulet 6 à 8 minutes dans un peu de bouillon de poulet bouillant.

VARIANTE

Le guacamole est un condiment froid très rafraîchissant. Mélangez un avocat réduit en purée, 2 oignons verts finement hachés, une tomate concassée, une gousse d'ail hachée et un filet de jus de citron. Arroser l'avocat de jus de citron juste après l'avoir écrasé pour que sa chair ne s'oxyde pas.

Poulet Lady Jayne

4 personnes

INGRÉDIENTS

4 blancs de poulet de 125 g	zeste et jus d'un citron	1 cuil. à soupe de persil frais haché
4 cuil. à soupe d'huile de maïs	2 cuil. à café de sauce Worcester	3 cuil. à soupe de liqueur de café
8 petites échalotes, émincées	4 cuil. à soupe de bouillon de poulet	3 cuil. à soupe de cognac chaud

1 Mettre les blancs de poulet sur une planche à découper, couvrir avec du film alimentaire et les aplatir à l'aide d'un maillet en bois ou d'un rouleau à pâtisserie.

2 Faire chauffer l'huile dans une grande poêle et faire revenir le poulet 3 minutes de chaque côté. Ajouter les échalotes et faire cuire encore 3 minutes.

3 Arroser de jus de citron, ajouter le zeste et mouiller avec la sauce Worcester et le bouillon. Faire cuire 2 minutes, puis parsemer de persil frais haché.

4 Ajouter la liqueur de café et le cognac, et flamber le poulet en mettant le feu à l'alcool avec une grande allumette. Laisser cuire jusqu'à extinction des flammes et servir.

CONSEIL

Au lieu de blancs de poulet, vous pouvez utiliser de la chair de poulet découpée en filets.

CONSEIL

Aplatir les blancs de poulet leur permet de cuire plus vite.

Poulet à l'orange

6 personnes

INGRÉDIENTS

6 blancs de poulet
1 cuil. à café de curcuma
1 cuil. à soupe de moutarde
  à l'ancienne

300 ml de jus d'orange
2 cuil. à soupe de miel liquide
2 cuil. à soupe d'huile de tournesol
350 g de riz long

1 orange
3 cuil. à soupe de menthe hachée
sel et poivre
brins de menthe, en garniture

1 À l'aide d'un couteau tranchant, faire des entailles en croisillons sur le dessus des blancs de poulet. Mélanger le curcuma, la moutarde, le jus d'orange et le miel. Verser cette préparation sur le poulet et réfrigérer jusqu'à utilisation.

2 Sortir le poulet de la marinade et sécher avec du papier absorbant.

3 Faire chauffer l'huile dans une grande poêle, et faire dorer le poulet en le retournant une fois. Enlever tout excédent d'huile. Ajouter la marinade, couvrir et laisser mijoter 10 à 15 minutes, jusqu'à ce que le poulet soit tendre.

4 Faire cuire le riz dans de l'eau légèrement salée jusqu'à ce qu'il soit tendre, et bien égoutter. Râper finement le zeste de l'orange et le mélanger au riz avec la menthe.

5 À l'aide d'un couteau tranchant, enlever l'écorce et la peau blanche de l'orange. Couper la pulpe en quartiers.

6 Servir le poulet avec le riz, et garni avec les quartiers d'orange et les brins de menthe.

VARIANTE

Pour une sauce un peu plus piquante, remplacez les oranges par de petits pamplemousses.

Poulet en papillote à la méditerranéenne

6 personnes

INGRÉDIENTS

1 cuil. à soupe d'huile d'olive
6 blancs de poulet, sans peau
250 g de mozzarella

500 g de courgettes, en rondelles
6 grosses tomates, en rondelles
poivre

1 petit bouquet de basilic
ou d'origan frais
riz ou pâtes, en accompagnement

1 Découper 6 carrés de papier d'aluminium d'environ 25 cm de côté. Les huiler légèrement et les réserver jusqu'à utilisation.

2 À l'aide d'un couteau tranchant, faire sur le dessus de chaque blanc de poulet des entailles à intervalles réguliers. Couper la mozzarella en tranches et insérer ces tranches dans les entailles.

3 Répartir les courgettes et les tomates dans les carrés de papier d'aluminium, et poivrer. Hacher grossièrement le basilic ou l'origan, et en parsemer les légumes de chaque papillote.

4 Poser un blanc de poulet sur les légumes de chaque papillote et envelopper le tout dans le papier d'aluminium, en rabattant bien les bords.

5 Mettre sur une plaque à pâtisserie et faire cuire au four préchauffé, 30 minutes environ, à 210 °C (th. 7).

6 Défaire les papillotes et servir avec du riz ou des pâtes.

CONSEIL

Pour favoriser la cuisson, placez les légumes et le poulet sur la face brillante du papier d'aluminium. Une fois la papillote refermée, la face mate sera à l'extérieur, et la chaleur pénétrera ainsi à l'intérieur au lieu d'être réfléchie.

Sauté de poulet au maïs et aux pois mange-tout

4 personnes

INGRÉDIENTS

4 blancs de poulet, sans peau	1 cuil. à soupe de vinaigre de xérès	1 cuil. à soupe de graines
250 g de mini-épis de maïs	1 cuil. à soupe de miel	de tournesol
250 g de pois mange-tout	1 cuil. à soupe de sauce de soja claire	riz ou nouilles aux œufs à la chinoise,
2 cuil. à soupe d'huile de tournesol	poivre	en accompagnement

1 À l'aide d'un couteau tranchant, découper le poulet en lanières. Couper les épis de maïs en deux dans le sens de la longueur. Parer les pois mange-tout.

2 Faire chauffer l'huile de tournesol dans un wok préchauffé ou une sauteuse. Faire revenir le poulet à feu vif 1 minute, sans cesser de remuer.

3 Ajouter les épis de maïs, les pois mange-tout et faire revenir à feu modéré pendant 5

à 8 minutes. Les légumes doivent être cuits mais légèrement croquants.

4 Mélanger le vinaigre de xérès, le miel et la sauce de soja dans un petit bol. Verser le mélange dans la sauteuse ou le wok avec les graines de tournesol. Poivrer selon son goût. Laisser mijoter pendant 1 minute sans cesser de remuer. Servir chaud avec du riz ou des nouilles chinoises aux œufs.

CONSEIL

Les vinaigres de riz ou balsamique constitueront une bonne alternative au vinaigre de xérès.

Saucisses de poulet

4 à 6 personnes

INGRÉDIENTS

175 g de chapelure
250 g de poulet, cuit et haché
1 petit poireau, émincé
1 pincée de mélange d'aromates

1 pincée de farine de moutarde
2 œufs, blancs et jaunes séparés
4 cuil. à soupe de lait
chapelure, pour enrober

25 g de graisse d'oie
sel et poivre

1 Mettre dans une terrine la chapelure, le poulet haché, le poireau, le mélange d'aromates et la farine de moutarde. Saler, poivrer et bien mélanger.

2 Ajouter un œuf entier et un jaune d'œuf avec un peu de lait pour lier la préparation.

3 Diviser la préparation en 6 ou 8 portions, et façonner chaque portion en forme de saucisse, fine ou épaisse.

4 Battre le blanc d'œuf au fouet jusqu'à obtention d'une consistance mousseuse. Passer les saucisses d'abord dans le blanc d'œuf, puis dans la chapelure.

5 Faire chauffer la graisse d'oie et faire cuire les saucisses 6 minutes, jusqu'à ce qu'elles soient bien dorées. Servir.

VARIANTE

Pour une version de cette recette moins riche en graisses saturées, remplacez la graisse d'oie par un peu d'huile.

CONSEIL

Vous pouvez faire vous-même le hachis de poulet, en passant des blancs de poulet au robot de cuisine.

Risotto doré au poulet

4 personnes

INGRÉDIENTS

2 cuil. à soupe d'huile de tournesol

15 g de beurre ou de margarine

1 poireau moyen, émincé

1 gros poivron jaune, coupé en dés

350 g de riz rond

3 blancs de poulet, sans peau et coupés en dés

quelques filaments de safran

1,5 l de bouillon de poulet

200 g de mini-épis de maïs

60 g de cacahuètes nature grillées

60 g de parmesan râpé

sel et poivre

1 Faire chauffer l'huile et le beurre ou la margarine dans une casserole. Faire revenir une minute le poireau et le poivron, ajouter le poulet et faire rissoler sans cesser de remuer.

2 Ajouter le riz et faire cuire 2 à 3 minutes.

3 Incorporer les filaments de safran, saler et poivrer. Mouiller progressivement avec le bouillon. Couvrir et laisser cuire environ 20 minutes à feu doux en remuant de temps en temps, jusqu'à ce que le riz soit tendre et le bouillon presque entièrement absorbé. Le risotto ne doit jamais être sec : ajouter du bouillon si nécessaire.

4 Ajouter en remuant le maïs, les cacahuètes et le parmesan. Rectifier l'assaisonnement si nécessaire, et servir chaud.

CONSEIL

Le risotto peut se conserver un mois au congélateur, mais il faut le congeler sans le parmesan. Veillez ensuite à bien le réchauffer, pour que le poulet soit bien chaud.

Hachis Parmentier au poulet

4 personnes

INGRÉDIENTS

500 g de poulet, haché
1 gros oignon, finement haché
2 carottes, coupées en petits dés
25 g de farine
1 cuil. à soupe de concentré
   de tomates

300 ml de bouillon de poulet
1 pincée de thym frais
900 g de pommes de terre, écrasées
   avec du beurre et du lait,
   et très assaisonnées
90 g d'emmenthal râpé

sel et poivre

petits pois, en accompagnement

1 Faire revenir à sec le poulet haché, l'oignon et les carottes 5 minutes dans une poêle antiadhésive, en remuant fréquemment.

2 Saupoudrer de farine et laisser mijoter 2 minutes.

3 Incorporer peu à peu le concentré de tomates et le bouillon, et laisser mijoter 15 minutes. Saler, poivrer et ajouter le thym.

4 Mettre cette préparation dans un plat à gratin, et laisser refroidir.

5 Étaler les pommes de terre en purée sur la préparation et parsemer d'emmenthal râpé. Faire cuire au four préchauffé, 20 minutes à 210 °C (th. 7), ou jusqu'à ce que le fromage soit bien doré et bouillonne. Servir avec les petits pois.

VARIANTE

Vous pouvez remplacer l'emmenthal par n'importe quel autre fromage utilisé habituellement pour préparer les gratins.
Vous pouvez également, avant de faire gratiner, saupoudrer la couche de fromage râpé de 1 ou 2 cuillerées à soupe de chapelure

Toad in the Hole

4 à 6 personnes

INGRÉDIENTS

125 g de farine	200 ml de lait	2 cuil. à soupe de graisse d'oie
1 pincée de sel	75 ml d'eau	250 g de saucisse de Toulouse
1 œuf, battu	250 g de blanc de poulet	

1 Mélanger la farine et le sel dans une terrine, creuser un puits au centre et ajouter l'œuf battu.

2 Verser la moitié du lait et l'incorporer lentement à la farine à l'aide d'une cuillère en bois.

3 Remuer jusqu'à obtention d'une pâte homogène. Ajouter le reste du lait et l'eau.

4 Remuer de nouveau jusqu'à obtention d'une pâte homogène. Laisser reposer au moins 1 heure.

5 Graisser des moules individuels ou un grand moule avec la graisse d'oie. Couper le poulet et la saucisse de façon à pouvoir en mettre un gros morceau de chaque par moule individuel, ou les disposer tous dans le grand moule.

6 Faire chauffer au four préchauffé, 5 minutes à 225 °C (th. 7-8). Sortir les moules du four et ajouter la pâte sur la viande, sans remplir complètement pour que la préparation ait la place de lever.

7 Remettre au four et faire cuire 35 minutes, jusqu'à ce que la pâte ait bien levé et doré. Laisser dans le four fermé au moins 30 minutes.

8 Servir chaud, avec une sauce de votre choix, ou seul.

VARIANTE

Remplacez le blanc de poulet par des cuisses de poulet désossées et sans peau. Vous pouvez aussi remplacer la saucisse de Toulouse par une autre variété de saucisse, chipolata ou fumée.

Poulet en cocotte & rôti

Une cuisson longue et lente permet d'obtenir une viande savoureuse et fondante. Le poulet n'ayant pas un goût très prononcé, on peut l'associer à presque tous les ingrédients, aromates et épices. Les recettes de ce chapitre sont originaires des pays les plus divers – Antilles, États-Unis, France, Hongrie et Italie, notamment. Parmi les spécialités françaises, citons le Poulet au vin blanc et le Poulet à la bretonne.

L'odeur d'un poulet qui rôtit fait toujours monter l'eau à la bouche, et ce chapitre contient la recette du traditionnel poulet rôti, accompagné de sa garniture habituelle. D'autres recettes, plus originales, proposent des farces à la courgette et au citron vert, à la marmelade d'oranges, ou encore aux flocons d'avoine et aux aromates. Les goûts complémentaires du poulet et des fruits sont également mis à profit dans ce chapitre ; vous trouverez ainsi des associations délicieuses avec des fruits très divers comme la groseille, la merise, la pomme, la pêche, l'orange et la mangue.

Poulet aux haricots et à l'orange

4 personnes

INGRÉDIENTS

8 pilons de poulet, sans peau
1 cuil. à soupe de farine complète
1 cuil. à soupe d'huile d'olive
2 oignons rouges moyens
1 gousse d'ail, hachée
1 cuil. à café de graines de fenouil
1 feuille de laurier

zeste finement râpé
   et jus d'une petite orange
400 g de tomates concassées
   en boîte
400 g de flageolets ou de borlotti
   en boîte, égouttés
sel et poivre noir

CROÛTONS

3 tranches épaisses de pain complet
2 cuil. à café d'huile d'olive

1 Fariner les pilons. Faire chauffer l'huile dans une poêle antiadhésive et faire revenir le poulet à feu assez vif, en remuant fréquemment. Transférer le poulet dans une cocotte allant au four et réserver au chaud jusqu'à utilisation.

2 Couper les oignons en fins quartiers. Les mettre dans la poêle et les faire revenir quelques minutes, jusqu'à ce qu'ils soient légèrement dorés. Ajouter l'ail et mélanger.

3 Ajouter les graines de fenouil, la feuille de laurier, le zeste et le jus d'orange, les tomates et les haricots. Saler et poivrer.

4 Bien couvrir et faire cuire au four préchauffé, 30 à 35 minutes à 195 °C (th 6-7), jusqu'à ce qu'une brochette piquée dans la partie la plus charnue d'un pilon fasse écouler un jus clair, sans aucune trace rosée.

5 Couper le pain en dés et mélanger avec l'huile.

Enlever le couvercle de la cocotte et mettre le pain sur la viande. Cuire 15 à 20 minutes, jusqu'à ce que le pain soit doré et croustillant. Servir chaud.

CONSEIL

Choisissez des haricots conservés dans l'eau, sans addition de sucre ni de sel. Égouttez-les et rincez-les bien avant utilisation.

Poulet épicé aux aromates

4 à 6 personnes

INGRÉDIENTS

3 cuil. à soupe d'huile d'olive

900 g de viande de poulet, émincée

10 échalotes ou petits oignons

3 carottes, coupées en morceaux

60 g de marrons, coupés en rondelles

60 g d'amandes effilées, grillées

1 cuil. à café de noix muscade
fraîchement râpée

3 cuil. à café de cannelle en poudre

300 ml de vin blanc

300 ml de bouillon de poulet

175 ml de vinaigre de vin blanc

1 cuil. à soupe d'estragon frais haché

1 cuil. à soupe de persil frais haché

1 cuil. à soupe de thym frais haché

zeste râpé d'une orange

1 cuil. à soupe de sucre
de canne brun

125 g de grains de raisin noir,
épépinés et coupés en deux

sel de mer et poivre

riz sauvage ou purée de pommes
de terre, en accompagnement

herbes aromatiques fraîches

1 Faire chauffer l'huile d'olive dans une cocotte et faire revenir 6 minutes environ le poulet, les carottes et les échalotes ou les petits oignons.

2 Ajouter le reste des ingrédients, à l'exception du raisin, et laisser mijoter 2 heures, jusqu'à ce que la viande soit bien tendre. Remuer de temps en temps.

3 Ajouter le raisin juste avant de servir, avec du riz sauvage ou de la purée de pommes de terre en accompagnement. Garnir avec des herbes aromatiques.

VARIANTE

Cette recette peut comporter d'autres fruits. Remplacez par exemple les amandes par des graines de tournesol, et ajoutez 2 abricots frais coupés en morceaux.

CONSEIL

Ce plat sera encore meilleur servi avec des tranches épaisses de pain complet frais à tremper dans la sauce.

Poulet aux pommes de terre

4 personnes

INGRÉDIENTS

4 découpes de poulet

6 pommes de terre moyennes,
    coupées en rondelles de 5 mm

2 brins de thym

2 brins de romarin

2 feuilles de laurier

200 g de lard fumé, découenné
    et coupé en dés

1 gros oignon, finement haché

150 ml de bière brune

200 g de carottes, coupées
    en rondelles

25 g de beurre, fondu

sel et poivre

1 Enlever la peau des découpes de poulet (facultatif).

2 Disposer une couche de rondelles de pommes de terre au fond d'un plat à gratin. Saler et poivrer. Ajouter le thym, le romarin et les feuilles de laurier.

3 Disposer au-dessus les découpes de poulet et parsemer de lard fumé, d'oignons et de carottes. Saler, poivrer et recouvrir avec le reste des pommes de terre, de façon à ce qu'elles se chevauchent légèrement.

4 Arroser avec la bière, badigeonner les pommes de terre de beurre fondu et couvrir le récipient.

5 Faire cuire au four préchauffé, 2 heures environ à 150 °C (th. 5), et à découvert les 30 dernières minutes pour permettre aux pommes de terre de dorer. Servir chaud.

CONSEIL

Vous obtiendrez un plat plus riche si vous ne retirez pas la peau du poulet.

VARIANTE

Ce plat est aussi très bon avec de la viande d'agneau à ragoût coupée en gros morceaux. Vous pouvez ajouter différents légumes, selon la saison – pour une saveur plus douce, essayez les poireaux et les rutabagas.

Poulet à la sauce au citron vert

4 personnes

INGRÉDIENTS

1 gros poulet, coupé en morceaux	1 poivron vert et 1 poivron rouge,	2 cuil. à soupe de sauce d'huître
60 g de farine, assaisonnée	coupés en fines lanières	1 cuil. à café de sauce Worcester
2 cuil. à soupe d'huile	150 ml de bouillon de poulet	sel et poivre
500 g de petits oignons	jus et zeste de 2 citrons verts	
ou d'échalotes, émincés	2 piments, hachés	

1 Fariner les morceaux de poulet. Faire chauffer l'huile dans une grande poêle et faire revenir le poulet pendant environ 4 minutes.

2 À l'aide d'une écumoire, mettre le poulet dans une grande cocotte et parsemer d'oignon émincé. Réserver au chaud jusqu'à utilisation.

3 Faire cuire les poivrons à feu doux dans le jus restant dans la poêle.

4 Ajouter le bouillon, le jus et le zeste de citron. Laisser cuire encore 5 minutes.

5 Ajouter les piments, la sauce d'huître et la sauce Worcester. Saler et poivrer à volonté.

6 Mettre les poivrons et le jus de cuisson sur le poulet et les oignons.

7 Couvrir la cocotte avec un couvercle ou du papier d'aluminium.

8 Faire cuire à mi-hauteur d'un four préchauffé, 1 h 30 à 195 °C (th. 6-7), jusqu'à ce que le poulet soit bien tendre. Servir immédiatement.

CONSEIL

Vous pouvez ajouter à ce plat des petits biscuits au fromage : 30 minutes environ avant la fin de la cuisson, posez dessus des petits biscuits au fromage coupés en morceaux.

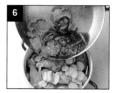

Poulet au vin blanc

4 à 6 personnes

INGRÉDIENTS

4 cuil. à soupe d'huile de tournesol

900 g de viande de poulet, coupée
en dés

250 g de champignons de Paris

125 g de lard fumé, découenné
et coupé en dés

16 petites échalotes

2 gousses d'ail, hachées

1 cuil. à soupe de farine

150 ml de bourgogne blanc

150 ml de bouillon de poulet

sel et poivre

1 bouquet garni (feuille de laurier,
brin de thym, branche
de céleri, persil et sauge liés
avec de la ficelle de la cuisine)

croûtons frits et légumes cuits,
en accompagnement

1 Faire chauffer l'huile dans une cocotte allant au four et faire revenir le poulet. Retirer de la cocotte à l'aide d'une écumoire et réserver.

2 Mettre dans la cocotte les champignons, le lard, les échalotes et l'ail. Faire cuire 4 minutes.

3 Remettre le poulet dans la cocotte et saupoudrer de farine. Faire cuire encore 2 minutes, en remuant.

4 Mouiller avec le bourgogne et le bouillon de poulet, et remuer jusqu'à ébullition. Ajouter le bouquet garni, bien saler et poivrer.

5 Couvrir la cocotte et faire cuire à mi-hauteur d'un four préchauffé, 1 h 30 à 150 °C (th. 5). Retirer le bouquet garni.

6 Faire frire dans de la graisse d'oie 8 gros croûtons découpés en forme de cœur et les servir en accompagnement.

CONSEIL

Un vin rouge de bonne qualité peut remplacer le vin blanc. Il donnera une sauce riche, d'un rouge éclatant.

Poulet aux haricots rouges

4 personnes

INGRÉDIENTS

2 cuil. à soupe d'huile de tournesol

4 découpes de poulet

16 petits oignons entiers, épluchés

3 branches de céleri, émincées

400 g de haricots rouges en boîte

4 tomates moyennes, coupées
en quartiers

200 ml de cidre brut ou de bouillon

4 cuil. à soupe de persil frais haché

1 cuil. à café de paprika

60 g de beurre

12 tranches de pain

sel et poivre

1 Faire chauffer l'huile dans une cocotte allant au four et faire dorer les découpes de poulet deux par deux. Retirer le poulet de la cocotte à l'aide d'une écumoire et réserver.

2 Ajouter les oignons et les faire revenir en remuant de temps en temps. Ajouter le céleri et faire revenir 2 à 3 minutes. Remettre le poulet dans la cocotte, ajouter en remuant les haricots, les tomates, le cidre, la moitié du persil, saler et poivrer. Saupoudrer de paprika.

3 Couvrir et faire cuire au four préchauffé, 20 à 25 minutes à 210 °C (th. 7), jusqu'à ce qu'une brochette piquée dans la viande fasse s'écouler un jus clair.

4 Mélanger le persil restant avec le beurre, et étaler uniformément sur le pain.

5 Découvrir la cocotte, disposer sur le dessus les tranches de pain de façon à ce qu'elles se chevauchent, et faire cuire encore 10 à 12 minutes, jusqu'à ce que le pain soit doré et croustillant.

VARIANTE

Pour donner à ce plat un goût plus italien, remplacez le pain beurré par des toasts au pistou (voir page 208).

CONSEIL

Une gousse d'ail hachée ajoutée au beurre persillé donnera plus de goût à ce plat.

Goulasch au poulet

6 personnes

INGRÉDIENTS

900 g de poulet, coupée en dés	1 poivron rouge et 1 poivron vert,	150 ml de bordeaux rouge
60 g de farine, assaisonnée de 1 cuil.	coupés en dés	400 g de tomates concassées
à café de paprika, sel et poivre	1 cuil. à soupe de paprika	150 ml de crème aigre
2 cuil. à soupe d'huile d'olive	1 cuil. à café de romarin pilé	1 cuil. à soupe de persil frais haché,
25 g de beurre	4 cuil. à soupe de concentré	en garniture
1 oignon, émincé	de tomates	petits pains individuels et salade,
24 petites échalotes, épluchées	300 ml de bouillon de poulet	en accompagnement

1 Fariner soigneusement le poulet.

2 Faire chauffer l'huile et le beurre dans une cocotte allant au four, et faire revenir 3 minutes l'oignon, les échalotes et les poivrons.

3 Ajouter le poulet et faire cuire encore 4 minutes.

4 Saupoudrer de paprika et de romarin.

5 Ajouter le concentré de tomates, le bouillon, le bordeaux et les tomates concassées. Couvrir et faire cuire à mi-hauteur d'un four préchauffé, 1 h 30 à 165 °C (th. 5-6).

6 Sortir la cocotte du four, laisser reposer 4 minutes, puis ajouter la crème aigre et décorer avec le persil.

7 Servir avec des petits pains individuels et de la salade.

VARIANTE

Vous pouvez remplacer le pain par des pâtes au beurre. Un vin rouge hongrois à la place du bordeaux donnera à ce plat une note plus authentique.

Fricassée de poulet et boulettes au romarin

4 personnes

INGRÉDIENTS

4 découpes de poulet	2 petits navets, coupés en morceaux	BOULETTES
2 cuil. à soupe d'huile de tournesol	600 ml de bouillon de poulet	200 g de farine levante
2 poireaux moyens	3 cuil. à soupe de sauce Worcester	100 g de saindoux, en lanières
250 g de carottes, en morceaux	2 brins de romarin frais	1 cuil. à soupe de romarin hachées
250 g de panais, coupés en morceaux	sel et poivre	eau

1 Enlever la peau du poulet (facultatif). Faire chauffer l'huile dans une cocotte et faire dorer le poulet. Retirer le poulet du récipient à l'aide d'une écumoire. Enlever l'excès de graisse.

2 Éplucher les poireaux et les couper en rondelles. Ajouter les carottes, les panais et les navets. Faire cuire 5 minutes, jusqu'à ce qu'ils soient légèrement colorés. Remettre le poulet dans la cocotte.

3 Ajouter le bouillon, la sauce Worcester, le romarin, saler et poivrer. Porter à ébullition.

4 Réduire le feu, couvrir et laisser mijoter environ 50 minutes, jusqu'à ce qu'une brochette piquée dans la viande fasse s'écouler un jus clair.

5 Pour les boulettes, mettre dans une terrine la farine, le saindoux et les feuilles de romarin avec du sel et du poivre. Incorporer juste ce qui est nécessaire d'eau froide pour obtenir une pâte ferme.

6 Faire 8 boulettes et les mettre sur le poulet et les légumes. Couvrir et laisser encore mijoter 10 à 12 minutes, jusqu'à ce que les boulettes aient bien levé. Servir dans la cocotte.

Poulet à l'échalote, aux champignons et au gingembre

6 à 8 personnes

INGRÉDIENTS

6 cuil. à soupe d'huile de sésame	500 g de champignons sauvages,	150 ml de yaourt nature
900 g de viande de poulet	coupés en gros morceaux	sel et poivre
60 g de farine, assaisonnée	2 cuil. à soupe de sauce Worcester	persil plat, en garniture
32 petites échalotes, émincées	1 cuil. à soupe de miel	riz sauvage et blanc,
300 ml de bouillon de poulet	2 cuil. à soupe de gingembre râpé	en accompagnement

1 Faire chauffer l'huile dans une grande poêle. Fariner le poulet et le faire revenir environ 4 minutes. Le mettre dans une cocotte et réserver au chaud jusqu'à utilisation.

2 Faire cuire les échalotes dans le jus de la poêle à feu doux.

3 Ajouter le bouillon, la sauce Worcester, le miel et le gingembre. Saler et poivrer à volonté.

4 Verser cette préparation sur le poulet et couvrir la cocotte avec un couvercle ou du papier d'aluminium.

5 Faire cuire à mi-hauteur d'un four préchauffé, 1 h 30 environ à 150 °C (th. 5), jusqu'à ce que la viande soit bien tendre. Ajouter le yaourt et laisser cuire encore 10 minutes. Garnir avec du persil frais et servir avec un mélange de riz sauvage et de riz blanc.

CONSEIL

Les champignons peuvent se garder de 24 à 36 heures au réfrigérateur. Mettez-les dans des sacs en papier, car ils « suent » dans le plastique. Il est inutile de les peler, mais les champignons sauvages doivent être lavés très soigneusement.

Poulet à la jamaïcaine

4 personnes

INGRÉDIENTS

2 cuil. à café d'huile de tournesol

4 pilons de poulet

4 hauts de cuisse de poulet

1 oignon moyen

750 g de courge ou de potiron, coupé en dés

1 poivron vert, coupé en lanières

1 morceau de gingembre frais de 2,5 cm, finement émincé

400 g de tomates concassées en boîte

300 ml de bouillon de poulet

60 g de lentilles blondes

sel d'ail

poivre de Cayenne

350 g de maïs en boîte

pain frais, en accompagnement

1 Faire chauffer l'huile dans une cocotte allant au four et faire dorer les morceaux de poulet en remuant fréquemment.

2 À l'aide d'un couteau tranchant, éplucher et éminer l'oignon, peler la courge ou le potiron et couper en dés, épépiner le poivron et le couper en lanières.

3 Enlever de la cocotte tout excès de graisse. Ajouter l'oignon, la courge, et le poivron. Faire légèrement dorer à feu doux. Ajouter le gingembre, les tomates, le bouillon et les lentilles. Assaisonner légèrement avec du sel d'ail et du poivre de Cayenne.

4 Couvrir la cocotte et faire cuire au four préchauffé, 1 heure à 195 °C (th. 6-7), jusqu'à ce que les légumes soient tendres et qu'une brochette piquée dans la viande fasse s'écouler un jus clair.

5 Ajouter le maïs égoutté et faire cuire 5 minutes. saler, poivrer et servir avec du pain frais.

VARIANTE

Si vous ne trouvez pas de gingembre frais, remplacez-le par une cuillerée à café de quatre-épices.

VARIANTE

Vous pouvez remplacer la courge ou le potiron par des rutabagas.

Poulet aux haricots et à l'ail

4 personnes

INGRÉDIENTS

4 cuil. à soupe d'huile de tournesol	250 ml de vin blanc	400 g de borlotti en boîte
900 g de viande de poulet, coupée en cubes	250 ml de bouillon de poulet	sel et poivre
250 g de champignons, émincés	1 bouquet garni (feuille de laurier, brin de thym, de céleri, de persil et de sauge liés avec de la ficelle de cuisine)	croquettes, en accompagnement
16 petites échalotes		1 cuil. à soupe de farine
6 gousses d'ail, hachées		

1 Faire chauffer l'huile dans une cocotte allant au four, et faire revenir le poulet. Retirer de la poêle à l'aide d'une écumoire et réserver.

2 Mettre dans la cocotte les champignons, les échalotes et l'ail. Faire cuire 4 minutes.

3 Remettre le poulet dans la cocotte, et saupoudrer de farine. Faire cuire encore 2 minutes.

4 Mouiller avec le vin blanc et le bouillon, porter à ébullition en remuant et ajouter le bouquet garni. Bien saler et poivrer.

5 Égoutter les borlotti, bien les rincer, et les mettre dans la cocotte.

6 Couvrir et faire cuire à mi-hauteur d'un four préchauffé, 2 heures à 150 °C (th. 5). Retirer le bouquet garni et servir avec les croquettes.

CONSEIL

Les champignons sont parfaits pour les régimes pauvres en matières grasses, car ils n'en contiennent pas tout en ayant beaucoup de goût. Essayez les nombreuses variétés que l'on trouve dans le commerce.

CONSEIL

Pour rendre ce plat encore plus nourrissant, servez-le avec du riz complet

Poulet à la bière

4 à 6 personnes

INGRÉDIENTS

4 gros hauts de cuisse de poulet, sans peau	15 g de beurre	TOASTS AU FROMAGE
2 cuil. à soupe de farine	4 petits oignons	60 g de cheddar bien fait, râpé
3 cuil. à soupe de moutarde anglaise en poudre (dont 1 pour les toasts)	600 ml de bière	1 cuil. à café de farine
	2 cuil. à soupe de sauce Worcester	1 cuil. à café de sauce Worcester
	3 cuil. à soupe de feuilles de sauge fraîche hachées	1 cuil. à soupe de bière
2 cuil. à soupe d'huile de tournesol	sel et poivre	2 tranches de pain de mie complet

1 Parer le poulet. Le passer dans la farine et la poudre de moutarde de façon à bien l'enrober. Faire chauffer l'huile et le beurre dans une cocotte et faire dorer le poulet à feu assez vif, en remuant de temps en temps. Retirer le poulet de la cocotte à l'aide d'une écumoire et réserver au chaud.

2 Éplucher les oignons, les couper en quartiers et les faire rissoler. Ajouter le poulet, la bière, la sauce Worcester et la sauge. Saler et poivrer. Porter à ébullition, couvrir et laisser mijoter à feu très doux environ 1 h 30, jusqu'à ce que le poulet soit bien tendre.

3 Pendant ce temps, faire les toasts au fromage : mélanger le fromage avec la poudre de moutarde, la farine, la sauce Worcester et la bière. Étaler cette préparation sur le pain de mie et passer sous un gril chaud environ 1 minute, jusqu'à ce que le dessus soit fondu et doré. Couper les toasts en triangle.

4 Ajouter les feuilles de sauge dans la cocotte, porter à ébullition et servir avec les toasts au fromage, un légume vert et des pommes de terre nouvelles.

CONSEIL

Vous pouvez remplacer la sauge fraîche par 2 cuillerées à café de sauge séchée.

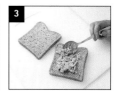

Poulet à la bretonne

6 personnes

INGRÉDIENTS

500 g de flageolets ou d'autres
    haricots, mis à tremper la veille
    et égouttés
25 g de beurre
2 cuil. à soupe d'huile d'olive

3 tranches de lard, découennées
    et coupées en morceaux
900 g de morceaux de poulet
1 cuil. à soupe de farine
300 ml de cidre

150 ml de bouillon de poulet
14 petites échalotes
2 cuil. à soupe de miel chaud
250 g de betteraves cuites
sel et poivre

1 Faire cuire les haricots environ 25 minutes à l'eau bouillante salée.

2 Faire chauffer le beurre et l'huile dans une cocotte allant au four, ajouter le lard et le poulet, et faire cuire 5 minutes.

3 Saupoudrer de farine, puis mouiller avec le cidre et le bouillon, sans cesser de remuer pour éviter la formation de grumeaux. Saler, poivrer et porter à ébullition.

4 Ajouter les haricots, bien couvrir la cocotte avec un couvercle ou du papier d'aluminium. Faire cuire à mi-hauteur d'un four préchauffé, 2 heures à 165 °C (th. 5-6).

5 Environ 15 minutes avant la fin de la cuisson, découvrir la cocotte.

6 Faire cuire les échalotes et le miel 5 minutes à feu doux dans une poêle, en remuant fréquemment.

7 Mettre les échalotes et les betteraves dans la cocotte. Remettre au four pour les 15 minutes de cuisson restantes.

CONSEIL

Pour gagner du temps, utilisez des flageolets en boîte. Égouttez-les et rincez-les avant de les mettre dans la cocotte.

Poulet à la méditerranéenne

4 personnes

INGRÉDIENTS

8 hauts de cuisse de poulet
2 cuil. à soupe d'huile d'olive
1 oignon rouge moyen, émincé
2 gousses d'ail, hachées
1 gros poivron rouge, coupé
   en grosses lanières

zeste et jus d'une petite orange
125 ml de bouillon de poulet
400 g de tomates concassées
   en boîte
25 g de tomates séchées, coupées
   en fines lanières

1 cuil. à soupe de thym frais haché
50 g d'olives noires, dénoyautées
sel et poivre
brins de thym et zeste d'orange,
   en garniture
pain frais, en accompagnement

1 Dans une grande poêle antiadhésive, faire dorer le poulet à sec et à feu assez vif, en remuant de temps en temps. Enlever tout excès de graisse du poulet à l'aide d'une écumoire et le mettre dans une cocotte.

2 Faire revenir l'oignon, l'ail et le poivron 3 à 4 minutes à feu doux dans la poêle. Les mettre dans la cocotte.

3 Ajouter le zeste et le jus d'orange, le bouillon, les tomates concassées et les tomates séchées. Bien mélanger.

4 Porter à ébullition, couvrir la cocotte avec un couvercle et laisser mijoter environ 1 heure à feu très doux, en remuant de temps en temps. Ajouter le thym et les olives, puis rectifier l'assaisonnement avec du sel et du poivre.

5 Parsemer le dessus de la préparation avec du zeste d'orange et du thym. Servir avec du pain frais.

CONSEIL

Les tomates séchées ont une texture dense et un goût très concentré. Elles donnent beaucoup de saveur aux fricassées.

Poulet au madère

8 personnes

INGRÉDIENTS

25 g de beurre	250 g de champignons de Paris	bouquet garni
20 petits oignons	1 poulet d'environ 1,5 kg	150 ml de madère
250 g de carottes, coupées en rondelles	425 ml de vin blanc	sel et poivre
250 g de lard, coupé en dés	25 g de farine, assaisonnée	purée de pommes de terre ou pâtes, en accompagnement
	425 ml de bouillon de poulet	

1 Faire chauffer le beurre dans une grande poêle, et faire revenir les oignons, les carottes, le lard et les champignons 3 minutes, en remuant fréquemment. Mettre dans une cocotte.

2 Mettre le poulet dans la poêle et le faire revenir sur toutes ses faces. Mettre dans la cocotte avec les légumes et le lard.

3 Mouiller avec le vin blanc et faire cuire jusqu'à réduction presque complète du jus.

4 Saupoudrer avec la farine assaisonnée, en remuant pour éviter la formation de grumeaux.

5 Ajouter le bouillon et le bouquet garni, saler et poivrer à volonté. Couvrir et faire cuire 2 heures. Environ 30 minutes avant la fin de la cuisson, ajouter le madère et laisser la cuisson se terminer à découvert.

6 Découper le poulet, et servir avec de la purée de pommes de terre ou des pâtes.

CONSEIL

Vous pouvez ajouter à cette recette l'assortiment d'aromates de votre choix. Si vous utilisez du cerfeuil, cependant, ne le mettez qu'en fin de cuisson, pour que son goût délicat soit préservé. Le persil et l'estragon se marient eux aussi très bien avec le poulet.

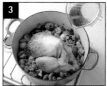

Poulet aux légumes printaniers et croquettes

4 personnes

INGRÉDIENTS

8 pilons de poulet, sans peau
1 cuil. à soupe d'huile
1 petit oignon, émincé
350 g de jeunes carottes
2 jeunes navets
125 g de fèves ou de petits pois
1 cuil. à café de maïzena

300 ml de bouillon de poulet
2 feuilles de laurier
sel et poivre

CROQUETTES
250 g de farine complète
2 cuil. à café de levure chimique

25 g de margarine au tournesol
60 g de cheddar, râpé
2 cuil. à café de moutarde
   à l'ancienne
lait écrémé
graines de sésame

1 Faire revenir le poulet dans l'huile en remuant. Bien égoutter et mettre dans une cocotte allant au four. Faire sauter l'oignon 2 à 3 minutes pour le ramollir.

2 Laver et éplucher les carottes et les navets. Les couper en morceaux de la même taille. Mettre dans la cocotte avec les oignons et les fèves ou les petits pois.

3 Mélanger la maïzena avec un peu de bouillon, incorporer le reste du bouillon et porter à ébullition à feu doux sans cesser de remuer. Verser dans la cocotte et ajouter feuilles de laurier, sel et poivre.

4 Bien couvrir et faire cuire au four préchauffé, 50 à 60 minutes à 210 °C (th. 7), ou jusqu'à ce qu'une brochette piquée dans la viande fasse s'écouler un jus clair.

5 Pour les croquettes, tamiser la farine et la levure chimique. Malaxer la margarine avec la farine à la fourchette. Ajouter en remuant la moutarde, le fromage, et assez de lait pour obtenir une pâte souple.

6 Abaisser la pâte et découper à l'aide d'un emporte-pièce 16 disques de 4 cm. Découvrir la cocotte, poser les disques sur le dessus, badigeonner de lait et parsemer de graines de sésame. Remettre au four 20 minutes, jusqu'à ce que les croquettes soient bien fermes et dorées.

Poulet à la californienne

4 à 6 personnes

INGRÉDIENTS

175 g de farine	2 œufs, battus	1 pomme, coupée en rondelles
1 cuil. à café de paprika	120 ml de lait	350 g de maïs aux poivrons
1 cuil. à café de persillade	1 poulet d'environ 2 kg, découpé	en boîte, égoutté
déshydratée	farine, assaisonnée	huile, pour la friture
1 cuil. à café d'estragon lyophilisé	150 ml d'huile de colza	sel et poivre
1 cuil. à café de romarin finement	2 bananes, coupées	sauce au poivre ou au raifort,
broyé	en gros morceaux	et cresson, en accompagnement

1 Mélanger dans une terrine la farine, les aromates et 1 pincée de sel. Creuser un puits au centre et ajouter les œufs.

2 Incorporer progressivement le lait, en fouettant jusqu'à obtention d'une préparation homogène.

3 Fariner les morceaux de poulet, puis les tremper dans la pâte.

4 Faire chauffer l'huile dans une poêle. Ajouter le poulet et le faire revenir 3 minutes, jusqu'à ce qu'il soit légèrement doré sur toutes ses faces. Mettre les morceaux de poulet sur une plaque à four.

5 Tremper les bananes et les pommes dans la pâte. Faire cuire les beignets 2 minutes à la poêle.

6 Mettre le maïs dans le reste de pâte.

7 Faire chauffer un peu d'huile dans une poêle. Verser à une les cuillerées du mélange maïs-pâte en faisant des croquettes aplaties. Faire cuire 4 minutes de chaque côté. Réserver au chaud avec les beignets.

8 Faire cuire le poulet au four préchauffé, 25 minutes à 210 °C (th. 7), afin qu'il soit tendre et doré.

9 Disposer le poulet, les croquettes et les beignets sur un lit de cresson frais. Servir avec une sauce au poivre ou au raifort.

Poulet aux petits oignons et aux petits pois

4 personnes

INGRÉDIENTS

250 g de lard gras, coupé en dés	1 kg de morceaux de poulet, désossés	500 g de petits pois frais
	25 g de farine	sel et poivre
60 g de beurre	600 ml de bouillon de poulet	
16 petits oignons ou échalotes	bouquet garni	

1 Porter à ébullition une casserole d'eau salée et y plonger le lard 3 minutes. Égoutter et sécher avec du papier absorbant.

2 Faire fondre le beurre dans une grande poêle, ajouter le lard et les oignons. Les faire cuire 3 minutes à feu doux, jusqu'à ce qu'ils soient légèrement dorés.

3 Retirer le lard et les oignons, et réserver. Mettre les morceaux de poulet dans la poêle et faire rissoler. Mettre le poulet dans une cocotte allant au four.

4 Mettre la farine dans la poêle et faire cuire sans cesser de remuer jusqu'à ce qu'elle commence à roussir. Mouiller progressivement avec le bouillon.

5 Faire cuire le poulet avec la sauce et le bouquet garni au four préchauffé, 35 minutes à 210 °C (th. 7).

6 Retirer le bouquet garni environ 10 minutes avant la fin de la cuisson.

7 Ajouter les petits pois, le lard et les oignons. Mélanger.

8 Quand le poulet est cuit, mettre les morceaux dans un grand plat et disposer autour le lard, les petits pois et les oignons.

CONSEIL

Pour un plat moins riche en graisses, remplacez le lard gras par du lard maigre.

Poulet aux pommes

6 personnes

INGRÉDIENTS

1 poulet de 2 kg	FARCE	25 g de chapelure
2 pommes à couteau	15 g de beurre	1 cuil. à soupe de persil frais haché
15 g de beurre	1 petit oignon, finement haché	1 pomme à chair croquante
1 cuil. à soupe de gelée	60 g de champignons, coupés	1 cuil. à soupe de jus de citron
de groseilles	en morceaux	huile, pour badigeonner
légumes, en accompagnement	60 g de jambon fumé, en morceaux	sel et poivre

1 Pour la farce, faire fondre le beurre et faire cuire l'oignon à feu doux, jusqu'à ce qu'il soit tendre, mais pas doré. Ajouter les champignons et faire cuire 2 à 3 minutes. Retirer du feu et ajouter en remuant le jambon, la chapelure et le persil.

2 Évider la pomme en laissant la peau, et la râper grossièrement. Ajouter la farce et le jus de citron. Saler et poivrer.

3 Soulever la peau de la poitrine du poulet,

et glisser délicatement la farce dessous. Égaliser la surface avec les mains.

4 Mettre le poulet dans un plat à rôtir et le badigeonner légèrement d'huile.

5 Faire cuire au four préchauffé, 25 minutes par livre plus 25 minutes à 195 °C (th. 6-7), ou jusqu'à ce qu'une brochette piquée dans la partie la plus charnue de la viande fasse s'écouler un jus clair, sans aucune trace rosée. Si la poitrine dore trop vite,

couvrir le poulet avec du papier d'aluminium.

6 Évider les pommes restantes, les couper en tranches et les faire sauter dans le beurre. Incorporer la gelée de groseilles et faire chauffer jusqu'à ce qu'elle ait fondu. Décorer le poulet avec les tranches de pommes et servir avec un assortiment de légumes.

Poulet rôti à l'ail et à la coriandre

4 à 6 personnes

INGRÉDIENTS

3 brins de coriandre fraîche, hachés	1 cuil. à café de poivre	poivre
4 gousses d'ail	4 cuil. à soupe de jus de citron	brins de persil frais, en garniture
1/2 cuil. à café de sel	4 cuil. à soupe d'huile d'olive	pommes de terre et carottes à l'eau,
	1 gros poulet	en accompagnement

1 Piler dans un mortier ou passer dans un robot de cuisine la coriandre, l'ail, le sel, le poivre, le jus de citron et l'huile d'olive. Réfrigérer 4 heures pour permettre aux saveurs de s'épanouir.

2 Mettre le poulet dans un plat à rôtir. Enduire généreusement avec la préparation à l'ail et à la coriandre.

3 Saupoudrer de poivre et faire cuire sur la grille inférieure d'un four préchauffé, 1 h 30 à 195 °C (th. 6-7), en arrosant toutes les demi-heures avec le jus. Si le poulet commence à brunir, le couvrir avec du papier d'aluminium. Garnir avec le persil et servir avec les pommes de terre et les carottes.

VARIANTE

Vous pouvez remplacer la coriandre par un autre aromate. L'estragon et le thym, notamment, se marient très bien avec le poulet.

CONSEIL

Pour broyer de petites quantités, mieux vaut utiliser un mortier et un pilon. Cela réduit la quantité de préparation inutilisée.

Poulet à la feta et aux aromates

4 personnes

INGRÉDIENTS

8 hauts de cuisse de poulet, désossés et sans peau	1 cuil. à soupe de lait	SAUCE TOMATE
2 cuil. à soupe de thym frais haché	2 cuil. à soupe de farine	1 oignon, grossièrement haché
2 cuil. à soupe de romarin frais haché	sel et poivre	1 gousse d'ail, hachée
2 cuil. à soupe d'origan frais haché	thym, romarin et origan, en garniture	1 cuil. à soupe d'huile d'olive
125 g de feta		4 olivettes, coupées en quartiers
		1 brin de thym, de romarin et d'origan

1 Disposer les hauts de cuisse sur une planche, côté lisse vers le bas.

2 Répartir les aromates sur les morceaux de poulet. Couper le fromage en huit bâtonnets et en mettre un au milieu de chaque morceau de poulet. Saler et poivrer, puis enrouler les hauts de cuisse autour du fromage.

3 Disposer les rouleaux dans un plat à gratin, badigeonner de lait et saupoudrer uniformément de farine.

4 Faire cuire au four préchauffé, 25 à 30 minutes à 195 °C (th. 6-7), jusqu'à ce que le poulet soit bien doré. Une brochette piquée dans la partie la plus charnue de la viande doit faire s'écouler un jus clair, sans aucune trace rosée.

5 Pour la sauce, faire revenir l'oignon et l'ail dans l'huile d'olive, en remuant, jusqu'à ce qu'ils soient tendres et commencent à dorer.

6 Ajouter les tomates, réduire le feu, couvrir et laisser mijoter 15 à 20 minutes.

7 Ajouter les aromates et mixer dans un robot de cuisine jusqu'à obtention d'une purée lisse. Passer au chinois. Saler, poivrer et servir cette sauce avec le poulet, garni avec les brins d'aromates.

Coquelet aux fruits secs

2 personnes

INGRÉDIENTS

125 g de pruneaux, de pêches
et de pommes séchées
120 ml d'eau bouillante
2 coquelets

25 g de cerneaux de noix, coupés en 2
1 cuil. à soupe de miel
1 cuil. à café de poudre
de cinq-épices

1 cuil. à soupe d'huile de noix
sel et poivre
légumes frais et pommes de terre
nouvelles, en accompagnement

1 Mettre les fruits secs dans une terrine, recouvrir d'eau bouillante et laisser tremper 30 minutes.

2 Couper les coquelets en deux dans le sens de la longueur à l'aide d'un couteau tranchant. Il est aussi possible de les laisser entiers.

3 Mélanger aux fruits et au liquide restant dans la terrine avec les noix, le miel et le cinq-épices. Répartir le mélange sur 2 carrés de papier d'aluminium.

4 Badigeonner les coquelets d'huile de noix, saler, poivrer et les disposer sur les fruits.

5 Refermer le papier d'aluminium sur les coquelets et faire cuire sur une plaque du four préchauffé, 25 à 30 minutes à 195 °C (th. 6-7), jusqu'à ce qu'une brochette piquée dans la partie la plus charnue de la viande fasse s'écouler un jus clair, sans trace rosée. Pour une cuisson au micro-ondes, utiliser des sachets de cuisson pour micro-ondes et faire cuire chaque coquelet à puissance maximale 6 à 7 minutes, selon leur poids.

6 Servir chaud avec des légumes frais et des pommes de terre nouvelles.

CONSEIL

Cette recette peut se préparer avec d'autres fruits secs (cerises, mangues et papayes, par exemple).

Poulet farci à la marmelade d'oranges

6 personnes

INGRÉDIENTS

1 poulet d'environ 2,25 kg	1 cuil. à soupe d'huile de tournesol	SAUCE
feuilles de laurier	125 g de chapelure blanche	2 cuil. à café de maïzena
	7 cuil. à soupe de marmelade	2 cuil. à soupe de jus d'orange
	d'oranges (dont 3 pour la sauce)	150 ml de bouillon de poulet
FARCE	2 cuil. à soupe de persil frais haché	1 orange moyenne
1 branche de céleri, émincée	1 œuf, battu	2 cuil. à soupe de cognac
1 petit oignon, émincé	sel et poivre	

1 Soulever la peau du cou du poulet et retirer la fourchette à l'aide d'un petit couteau tranchant. Mettre une branche de laurier à l'intérieur du poulet.

2 Pour la farce, faire sauter le céleri et l'oignon dans l'huile jusqu'à ce qu'ils soient tendres. Ajouter la chapelure, 3 cuillerées à soupe de marmelade, le persil et l'œuf. Saler, poivrer et introduire cette préparation dans la cavité du cou. Faire cuire séparément l'excédent de farce s'il y en a.

3 Mettre le poulet dans un plat à rôtir et badigeonner légèrement d'huile. Faire cuire au four préchauffé, 20 minutes par livre plus 20 minutes à 195 °C (th. 6-7), jusqu'à ce qu'une brochette piquée dans la partie la plus charnue de la viande fasse s'écouler un jus clair. Sortir du four et glacer avec le reste de marmelade.

4 Pour la sauce, mélanger la maïzena et le jus d'orange dans une casserole, puis ajouter la marmelade et le bouillon. Faire cuire à feu doux, en remuant, jusqu'à obtention d'une préparation épaisse et homogène. Retirer du feu. Découper l'orange en quartiers, en enlevant toute la peau blanche et les membranes. Juste avant de servir, mettre les quartiers d'orange et le cognac dans la sauce, et porter à ébullition.

5 Servir le poulet avec la sauce, l'éventuel excédent de farce et des pommes de terre nouvelles.

Poulet à la mangue et à la groseille

6 personnes

INGRÉDIENTS

1 poulet d'environ 2,25 kg
6 tranches de lard fumé

FARCE
1 mangue bien mûre, coupée en dés
125 g de chapelure

60 g de groseilles fraîches
   ou surgelées
1/2 cuil. à café de macis en poudre
1 œuf, battu
sel et poivre

GLAÇAGE
1/2 cuil. à café de curcuma en poudre
2 cuil. à café de miel
2 cuil. à café d'huile de tournesol

1 Pour désosser partiellement le poulet, disloquer les cuisses et poser le poulet côté poitrine vers le bas. Fendre la peau d'un bout à l'autre de la crête osseuse du dos. Dégager la viande de l'os des deux côtés.

2 Inciser l'articulation à l'endroit où les cuisses et les ailes sont attachées au corps. Passer le couteau autour de la cage thoracique jusqu'à ce que la carcasse puisse être soulevée.

3 Faire 6 rouleaux de lard. Pour la farce, mélanger la mangue, les groseilles, la chapelure et le macis. Lier avec l'œuf, saler et poivrer.

4 Poser le poulet côté peau vers le bas et le garnir avec la moitié de la farce. Disposer les rouleaux de lard au milieu et mettre la farce restante dessus. Replier la peau et la fixer avec de la ficelle de cuisine. Retourner le poulet, brider les cuisses et rentrer les ailes dessous. Mettre dans un plat à rôtir.

Pour le glaçage, mélanger le curcuma, le miel et l'huile, et badigeonner la peau.

5 Faire cuire au four préchauffé, 1 h 30 à 2 heures à 195 °C (th. 6-7), ou jusqu'à ce qu'une brochette piquée dans la viande fasse s'écouler un jus clair, sans aucune trace rosée. Quand le poulet commence à dorer, le couvrir sans serrer avec du papier d'aluminium pour l'empêcher de brûler. Servir chaud avec des légumes de saison.

Blancs de poulet rôtis au lard

8 personnes

INGRÉDIENTS

60 g de beurre	1 à 2 cuil. à soupe de sucre de canne	60 g de graisse d'oie
jus d'un citron	8 blancs de poulet	4 tranches de pain de mie,
250 g de groseilles	16 tranches de lard	coupées en triangles
ou de myrtilles	thym	sel et poivre

1 Faire chauffer le beurre dans une casserole, ajouter le jus de citron, les groseilles ou les myrtilles, et le sucre. Saler et poivrer à volonté. Faire cuire 1 minute et laisser refroidir jusqu'à utilisation.

2 Saler et poivrer le poulet. Enrouler 2 tranches de lard autour de chaque blanc et saupoudrer de thym.

3 Envelopper chaque blanc dans un morceau de papier d'aluminium légèrement graissé et disposer les blancs dans un plat à rôtir. Faire cuire au four préchauffé, 15 minutes à 210 °C (th. 7). Retirer le papier d'aluminium et faire cuire encore 10 minutes.

4 Faire chauffer la graisse d'oie dans une poêle, ajouter les tranches de pain de mie et les faire rissoler des deux côtés.

5 Disposer les tranches de pain dans un grand plat, et mettre un blanc de poulet sur chacune. Servir avec la sauce aux fruits.

CONSEIL

Vous pouvez utiliser pour cette recette soit du thym frais haché, soit du thym séché, mais rappelez-vous que les herbes séchées ont un goût plus fort. Il faut donc en mettre deux fois moins que des herbes fraîches.

Poulet à la catalane

6 personnes

INGRÉDIENTS

60 g de chapelure de pain bis

60 g de pignons

1 petit œuf, battu

4 cuil. à soupe de thym frais haché,
ou 1 cuil. à soupe de thym séché

4 pêches fraîches ou 8 demi-pêches
en boîte

1 poulet d'environ 2,5 kg

1 cuil. à café de cannelle en poudre

200 ml de xérès amontillado

4 cuil. à soupe de crème fraîche
épaisse

sel et poivre

1 Mélanger dans une terrine la chapelure, 25 g de pignons, l'œuf et le thym.

2 Couper les pêches en deux et les dénoyauter. Les peler si nécessaire. Couper une pêche en petits morceaux et mélanger avec la chapelure. Saler et poivrer. Introduire cette farce dans la cavité du cou du poulet, et bien refermer la peau dessus.

3 Mettre le poulet dans un plat à rôtir. Saupoudrer la peau de cannelle.

4 Couvrir sans serrer avec du papier d'aluminium et faire cuire au four préchauffé, 1 heure à 195 °C (th. 6-7), en arrosant le poulet de temps en temps.

5 Retirer le papier d'aluminium et verser le xérès sur le poulet. Faire cuire encore 30 minutes, en arrosant avec le xérès, jusqu'à ce qu'une brochette piquée dans la partie la plus charnue de la viande fasse s'écouler un jus clair.

6 Parsemer de pignons les demi-pêches restantes,

et mettre au four dans un plat à gratin les 10 dernières minutes de cuisson.

7 Mettre le poulet dans un plat et disposer les demi-pêches autour. Dégraisser la sauce si nécessaire, incorporer la crème fraîche et faire chauffer à feu doux. Servir avec le poulet.

CONSEIL

Vous pouvez remplacer les pêches par des oreillons d'abricots au naturel en boîte.

Blancs de poulet aux merises

6 personnes

INGRÉDIENTS

6 blancs de poulet

6 grains de poivre, broyés

300 g de merises dénoyautées ou
    de cerises en boîte dénoyautées

12 petites échalotes, émincées

8 baies de genièvre

4 tranches de lard maigre,
    découennées et coupées en dés

4 cuil. à soupe de porto

150 ml de vin rouge

25 g de beurre

2 cuil. à soupe d'huile de noix

25 g de farine

sel et poivre

pommes de terre nouvelles
    et haricots verts,
    en accompagnement

1 Mettre le poulet dans un plat à rôtir. Ajouter les grains de poivre, les échalotes, les merises ou les cerises et leur jus, le cas échéant.

2 Ajouter le lard, les baies de genièvre, le porto et le vin rouge. Saler et poivrer.

3 Réfrigérer le poulet et le laisser mariner 48 heures.

4 Faire chauffer le beurre et l'huile de noix dans une grande poêle. Retirer le poulet de la marinade et le faire rissoler 4 minutes de chaque côté.

5 Remettre le poulet dans le plat avec la marinade. Réserver les jus de la poêle.

6 Couvrir le poulet avec du papier d'aluminium et faire cuire au four préchauffé, 20 minutes à 180 °C (th. 6). Mettre le poulet dans un plat chaud. Incorporer la farine aux jus de la poêle et faire cuire 4 minutes. Ajouter la marinade, porter à ébullition et laisser mijoter 10 minutes, jusqu'à ce que la sauce ait une consistance homogène.

7 Verser la sauce sur les blancs de poulet. Servir avec des pommes de terre nouvelles et des haricots verts.

Poulet rôti au whisky

6 personnes

INGRÉDIENTS

1 poulet de 2 kg	FARCE	4 cuil. à soupe de flocons d'avoine
huile, pour badigeonner	1 oignon moyen, finement haché	4 cuil. à soupe de bouillon de poulet
1 cuil. à soupe de miel de bruyère	1 branche de céleri, émincée	sel et poivre
2 cuil. à soupe de whisky	15 g de beurre ou 1 cuil. à soupe	légume vert et pommes de terre
2 cuil. à soupe de farine	d'huile de tournesol	sautées, en accompagnement
300 ml de bouillon de poulet	1 cuil. à café de thym séché	

1 Pour la farce, faire revenir l'oignon et le céleri à feu doux dans le beurre ou dans l'huile, en remuant, jusqu'à ce qu'ils soient ramollis et légèrement dorés.

2 Retirer du feu. Incorporer le thym, les flocons d'avoine, le bouillon, le sel et le poivre.

3 Introduire la farce dans la cavité du cou du poulet, et rentrer la peau. Mettre le poulet dans un plat à rôtir,

le badigeonner légèrement d'huile. Faire cuire au four préchauffé, environ 1 heure à 195 °C (th. 6-7).

4 Mélanger le miel avec une cuillerée à soupe de whisky et badigeonner le poulet avec cette préparation. Remettre au four 20 minutes, ou jusqu'à ce que le poulet soit bien doré et qu'une brochette enfoncée dans la partie la plus épaisse de la viande fasse sortir un jus clair.

5 Mettre le poulet dans un plat. Dégraisser

la sauce et incorporer la farine. Faire cuire à feu moyen, en remuant, jusqu'à ce que la sauce commence à bouillonner, puis mouiller progressivement avec le bouillon et le reste du whisky.

6 Porter à ébullition sans cesser de remuer, et laisser mijoter 1 minute. Servir le poulet avec la sauce, un légume vert et des pommes de terre sautées.

Fricassée de poulet
aux champignons sauvages

4 personnes

INGRÉDIENTS

90 g de beurre, en pommade
1 gousse d'ail, hachée
1 gros poulet
175 g de champignons sauvages
12 échalotes

25 g de farine
150 ml de cognac
300 ml de crème fraîche épaisse
1 cuil. à soupe de persil frais haché,
   pour décorer

sel et poivre
haricots verts et riz sauvage
  ou pommes de terre au four,
  en accompagnement

1 Bien mélanger dans une terrine le beurre, l'ail, du sel et du poivre.

2 Enduire de cette préparation l'extérieur et l'intérieur du poulet. Laisser reposer 2 heures.

3 Mettre le poulet dans un grand plat à rôtir. Faire cuire à mi-hauteur d'un four préchauffé, 1 h 30 à 240 °C (th. 8), en arrosant avec le beurre d'ail fondu toutes les 10 minutes.

4 Retirer le poulet du plat à rôtir et laisser tiédir un moment.

5 Verser le jus de cuisson dans une poêle, et faire cuire 5 minutes les champignons et les échalotes. Saupoudrer de farine. Ajouter le cognac chaud et flamber.

6 Ajouter la crème fraîche et faire cuire 3 minutes à feu très doux, sans cesser de remuer.

7 Enlever les os du poulet. Découper la viande en petits morceaux et la mettre dans une cocotte. Verser la sauce aux champignons dessus et faire cuire au four, 12 minutes à 165 °C (th. 5-6). Garnir avec le persil et servir avec des haricots verts et du riz sauvage ou des pommes de terre au four.

Poulet au miel et à l'orange

4 personnes

INGRÉDIENTS

1 poulet de 2 kg	3 cuil. à soupe de miel liquide	200 g de fromage frais à 0 %
sel et poivre	2 cuil. à soupe d'estragon frais haché	de matière grasse
brins d'estragon, pour décorer	2 oranges, coupées en quartiers	1 cuil. à café de miel liquide
		60 g d'olives farcies, coupées
MARINADE	SAUCE	en morceaux
300 ml de jus d'orange	1 poignée de brins d'estragon, hachés	
3 cuil. à soupe de vinaigre de cidre	2 cuil. à soupe de jus d'orange	

1 Mettre le poulet sur une planche à découper, côté poitrine vers le bas. Fendre la partie inférieure de la carcasse à l'aide d'une cisaille à volaille ou de gros ciseaux de cuisine, en veillant bien à ne pas inciser le bréchet.

2 Rincer le poulet à l'eau froide, l'égoutter et le mettre sur une planche, côté peau vers le haut. Aplatir le poulet avec les mains, puis couper l'extrémité des cuisses.

3 Enfoncer deux brochettes en bois dans le poulet pour qu'il reste aplati. Assaisonner la peau.

4 Mettre dans un plat creux tous les ingrédients de la marinade, sauf les quartiers d'orange. Mélanger et ajouter le poulet. Couvrir et réfrigérer 4 heures, en retournant plusieurs fois le poulet.

5 Pour la sauce, mélanger tous les ingrédients et assaisonner. Mettre dans un bol, couvrir et réfrigérer.

6 Mettre le poulet et la marinade dans un plat à rôtir. Étendre le poulet, côté peau vers le bas. Disposer les quartiers d'orange autour et faire cuire au four préchauffé, 25 minutes à 210 °C (th. 7). Retourner le poulet et faire cuire encore 20 à 30 minutes. Arroser le poulet jusqu'à ce qu'il soit doré et qu'une brochette piquée dans la viande fasse s'écouler un jus clair. Garnir avec l'estragon et servir avec la sauce.

Blancs de poulet au jambon et au stilton

4 personnes

INGRÉDIENTS

4 blancs de poulet
8 feuilles de sauge fraîche
8 tranches fines de jambon
250 g de stilton, coupé
en 8 morceaux

8 tranches de lard maigre,
découennées
150 ml de bouillon de poulet
2 cuil. à soupe de porto
24 échalotes

500 g de petites betteraves, cuites
1 cuil. à soupe de maïzena, délayée
dans un peu de porto
sel et poivre

1 Entailler horizontalement chaque blanc de poulet.

2 Insérer 2 feuilles de sauge dans chaque fente et assaisonner légèrement.

3 Enrouler chaque tranche de jambon autour d'un morceau de fromage, et introduire 2 de ces rouleaux dans la fente de chaque blanc de poulet. Enrouler autour des blancs assez de lard pour recouvrir la fente contenant le jambon et le fromage.

4 Mettre le poulet dans une cocotte allant au four. Verser dessus le bouillon et le porto.

5 Ajouter les échalotes et couvrir avec un couvercle ou du papier d'aluminium. Faire cuire au four préchauffé, 40 minutes à 195 °C (th. 6-7).

6 Poser les blancs sur une planche à découper et les trancher pour créer un effet d'éventail. Disposer dans un plat chaud avec les échalotes et les betteraves.

7 Verser le jus de cuisson dans une casserole et porter à ébullition. Retirer du feu et ajouter la préparation à la maïzena. Porter à faible ébullition et faire cuire 2 minutes. Verser sur les échalotes et les betteraves.

VARIANTE

Vous pouvez remplacer le stilton par un autre fromage à pâte persillée. Essayez le gorgonzola ou le roquefort.

Poulet rôti aux légumes printaniers

4 personnes

INGRÉDIENTS

5 cuil. à soupe de chapelure
de pain bis

200 g de fromage frais ou de crème
fraîche allégée

5 cuil. à soupe de ciboulette fraîche
hachée

5 cuil. à soupe de persil frais haché

4 coquelets

1 cuil. à soupe d'huile de tournesol

120 ml de bouillon de poulet
bouillant

2 cuil. à café de maïzena

150 ml de vin blanc sec

675 g de légumes printaniers
(carottes, courgettes, pois
mange-tout, maïs et navets,
par exemple), en petits morceaux

sel et poivre

1 Mélanger dans une terrine la chapelure, le tiers du fromage frais ou de la crème fraîche, 2 cuillerées à soupe de persil et 2 cuillerées à soupe de ciboulette. Bien saler et poivrer. Introduire cette préparation dans le cou des coquelets. Mettre les coquelets dans un plat à rôtir, les badigeonner d'huile et bien assaisonner.

2 Faire cuire au four préchauffé, 30 à 35 minutes à 225 °C (th. 7-8), jusqu'à ce qu'une brochette piquée dans la viande fasse s'écouler un jus clair, sans aucune trace rosée.

3 Mettre les légumes dans un plat à gratin, en une seule couche, et ajouter la moitié des fines herbes restantes avec le bouillon. Couvrir et faire cuire 25 à 30 minutes, jusqu'à ce que les légumes soient tendres. Égoutter, réserver le jus de cuisson et réserver au chaud.

4 Mettre les coquelets dans un plat de service et dégraisser le jus. Verser le jus de cuisson des légumes dans le plat à rôtir.

5 Mélanger la maïzena avec le vin et incorporer en fouettant aux jus, avec le reste du fromage frais ou de la crème fraîche. Porter à ébullition sans cesser de fouetter, puis ajouter le reste des fines herbes. Saler et poivrer. Verser la sauce sur les coquelets et servir avec les légumes.

Poulet désossé au parmesan

6 personnes

INGRÉDIENTS

1 poulet d'environ 2,25 kg	125 g de chapelure de pain blanc	6 cuil. à soupe de basilic
8 tranches de mortadelle	ou bis	ou de persil frais
ou de salami	2 gousses d'ail, hachées	poivre
125 g de parmesan, fraîchement râpé	1 œuf, battu	légumes printaniers frais

1 Désosser le poulet en laissant la peau intacte. Disloquer les cuisses en les cassant à l'articulation supérieure. Fendre chaque côté de la colonne en veillant à ne pas percer la peau.

2 Jeter la colonne. Retirer les côtes, en coupant toute chair qui y adhérerait à l'aide d'un couteau tranchant.

3 Dégager la chair des cuisses et retirer l'os en le coupant à l'articulation à l'aide d'un couteau ou d'une cisaille.

4 Réserver les os pour faire du bouillon. Étendre le poulet sur une planche à découper, côté peau vers le bas. Disposer dessus les tranches de mortadelle en les faisant se chevaucher un peu.

5 Mettre chapelure, basilic ou persil, parmesan, ail dans une terrine. Poivrer, et mélanger. Ajouter l'œuf battu pour lier. Garnir le milieu du poulet désossé de la farce, enrouler la viande autour et bien attacher avec du fil.

6 Mettre dans un plat à rôtir et badigeonner légèrement d'huile d'olive. Faire cuire au four préchauffé, 1 h 30 à 210 °C (th. 7), jusqu'à ce qu'une brochette piquée dans la viande fasse sortir un jus clair.

7 Servir chaud ou froid, coupé en tranches et accompagné de légumes printaniers frais.

VARIANTE

Vous pouvez remplacer la mortadelle par des tranches de lard.

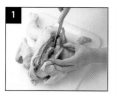

Poulet farci
aux courgettes

6 personnes

INGRÉDIENTS

1 poulet de 2,25 kg	jus d'un citron vert	90 g de fromage à pâte molle
huile, pour badigeonner		zeste finement râpé d'un citron vert
250 g de courgettes	FARCE	2 cuil. à soupe de chapelure
25 g de beurre	90 g de courgettes	sel et poivre

1 Pour la farce, parer les courgettes et les râper grossièrement. Mélanger avec le fromage, le zeste de citron vert, la chapelure, du sel et du poivre.

2 Détacher délicatement la peau de la poitrine du poulet.

3 Pousser la farce sous la peau avec les doigts et la répartir régulièrement sur toute la surface de la poitrine.

4 Mettre le poulet dans un plat à rôtir, badigeonner d'huile et faire cuire au four préchauffé, 20 minutes par livre plus 20 minutes à 195 °C (th. 6-7), ou jusqu'à ce qu'une brochette piquée dans la partie la plus charnue fasse s'écouler un jus clair.

5 Parer les courgettes restantes et les couper en longues et fines lamelles à l'aide d'un économe ou d'un couteau tranchant. Les faire sauter dans le beurre et le jus de citron vert jusqu'à ce qu'elles soient tendres. Servir avec le poulet.

CONSEIL

Pour une cuisson plus rapide, râpez les courgettes au lieu de les couper en lamelles.

Poulet à l'orange et aux graines de sésame

4 personnes

INGRÉDIENTS

2 cuil. à soupe d'huile de tournesol

1 poulet d'environ 1,5 kg

2 grosses oranges

2 petits oignons, coupés en quartiers

150 ml de jus d'orange

500 g de petites carottes entières
ou de carottes fines coupées
en morceaux de 5 cm de long

2 cuil. à soupe de cognac

2 cuil. à soupe de graines de sésame

1 cuil. à soupe de maïzena

sel et poivre

1 Faire chauffer l'huile dans une cocotte et faire revenir le poulet en le retournant de temps en temps.

2 Couper une orange en deux et mettre une des moitiés à l'intérieur du poulet. Mettre le poulet dans une cocotte. Disposer autour les oignons et les carottes.

3 Bien assaisonner et ajouter le jus d'orange.

4 Couper le reste des oranges en minces quartiers et mettre ces quartiers autour du poulet, au centre des légumes.

5 Couvrir et faire cuire au four préchauffé, environ 1 h 30 à 180 °C (th. 6), ou jusqu'à ce qu'une brochette piquée dans la viande fasse s'écouler un jus clair, sans aucune trace rosée, et que les légumes soient tendres. Découvrir, verser le cognac sur le poulet et parsemer de graines de sésame. Remettre au four 10 minutes.

6 Mettre le poulet dans un plat et disposer les légumes autour. Dégraisser la sauce si nécessaire. Mélanger la maïzena avec une cuillerée à soupe d'eau froide, incorporer cette préparation à la sauce et porter à ébullition sans cesser de remuer. Rectifier l'assaisonnement et servir la sauce avec le poulet.

VARIANTE

Pour un goût d'agrume plus piquant, remplacez les oranges par des citrons, et mettez 1 brin de thym à l'intérieur du poulet avec le 1/2 citron : leurs saveurs se marient bien.

Poulet au miel et à la moutarde

4 à 6 personnes

INGRÉDIENTS

8 morceaux de poulet	4 cuil. à soupe de miel liquide	3 cuil. à soupe de graines de pavot
60 g de beurre, fondu	2 cuil. à soupe de jus de citron	sel et poivre
4 cuil. à soupe de moutarde douce	1 cuil. à café de paprika	tomates et maïs, en accompagnement

1 Mettre les morceaux de poulet sur une plaque à pâtisserie, côté sans peau vers le bas.

2 Mettre dans une terrine tous les autres ingrédients, sauf les graines de pavot. Bien mélanger.

3 Badigeonner les morceaux de poulet avec cette préparation.

4 Faire cuire au four préchauffé, pendant 15 minutes à 210 °C (th. 7).

5 Retourner délicatement les morceaux de poulet et badigeonner le dessus avec le reste de la préparation.

6 Parsemer le poulet de graines de pavot, et remettre au four 15 minutes.

7 Mettre le poulet dans un plat, verser dessus le jus de cuisson et servir avec une salade de tomates et de maïs.

CONSEIL

Le riz à la mexicaine est un bon accompagnement pour ce plat. Faites bouillir du riz 10 minutes, égouttez-le, puis faites-le frire 5 minutes. Ajoutez de l'ail, des tomates, des carottes, un piment et des oignons émincés. Faites cuire 1 minute, puis mouillez avec du bouillon. Portez à ébullition, couvrez et laissez mijoter 20 minutes, en ajoutant du bouillon si besoin. Ajoutez des petits pois 5 minutes avant la fin de la cuisson.

Poulet farci à la provençale

6 personnes

INGRÉDIENTS

1 poulet de 2,5 kg

brins de romarin frais

175 g de feta, grossièrement râpée

2 cuil. à soupe de concentré
de tomates séchées

60 g de beurre, ramolli

1 kg de pommes de terre nouvelles,
coupées en deux si elles sont
grosses

3 poivrons (1 rouge, 1 vert, 1 jaune),
coupés en gros morceaux

1 tête d'ail

3 courgettes, coupées
en fines rondelles

2 cuil. à soupe d'huile d'olive

2 cuil. à soupe de farine

600 ml de bouillon de poulet

sel et poivre

1 Rincer l'extérieur et l'intérieur du poulet à l'eau froide, et bien égoutter. Inciser délicatement entre la peau et la chair de la poitrine à l'aide d'un petit couteau pointu. Glisser un doigt dans la fente et l'élargir doucement jusqu'à ce que la peau soit complètement détachée de la poitrine et du haut des cuisses.

2 Hacher les feuilles de 3 brins de romarin. Mélanger avec la feta, le concentré de tomates, le beurre et du poivre. Mettre cette préparation sous la peau. Mettre le poulet dans un grand plat à rôtir, couvrir avec du papier d'aluminium et faire cuire au four préchauffé, 20 minutes par livre plus 20 minutes à 195 °C (th. 6-7).

3 Séparer les gousses de la tête d'ail. Les mettre (sans les éplucher) dans le plat à rôtir avec les légumes après 40 minutes de cuisson.

4 Verser un filet d'huile, ajouter quelques brins de romarin et bien assaisonner. Remettre au four et retirer le papier d'aluminium 40 minutes avant la fin de la cuisson pour que le poulet dore bien.

5 Mettre le poulet dans un plat. Disposer autour une partie des légumes et mettre le reste dans un plat chaud. Dégraisser le jus de cuisson et incorporer la farine au jus restant. Faire cuire 2 minutes, puis mouiller progressivement avec le bouillon. Porter à ébullition en remuant jusqu'à épaississement. Filtrer dans une saucière et servir avec le poulet.

Poulet au cheddar

4 personnes

INGRÉDIENTS

1 cuil. à soupe de lait

2 cuil. à soupe de moutarde anglaise
prête à consommer

60 g de cheddar bien fait, râpé

2 cuil. à soupe ciboulette fraîche
hachée

3 cuil. à soupe de farine

4 blancs de poulet, sans peau

1 Mélanger le lait et la moutarde dans un bol. Mélanger dans un autre bol le fromage, la farine et la ciboulette.

2 Tremper le poulet dans la première préparation et bien le badigeonner.

3 Tremper le poulet dans la seconde préparation et presser pour bien l'enrober. Mettre le poulet sur une plaque et étaler la préparation au fromage s'il en reste.

4 Faire cuire au four préchauffé, 30 à 35 minutes à 210 °C (th. 7), jusqu'à ce que le poulet soit bien doré et qu'une brochette

piquée dans la viande fasse s'écouler un jus clair, sans trace rosée. Servir chaud, avec des pommes de terre en robe des champs et des légumes frais, ou froid, avec de la salade.

CONSEIL

Les différentes variétés de moutarde ont des goûts et des aspects variés. La moutarde de Meaux est une moutarde à l'ancienne, de consistance granuleuse et au goût épicé. La moutarde de Dijon est plus forte et piquante que la moutarde anglaise.

CONSEIL

Vous pouvez congeler les aromates, car ils conservent leur couleur, leur saveur et leurs éléments nutritifs. La ciboulette se prête très bien à la congélation ; mettez-la dans des sachets plastique étiquetés, et séchez-la en la secouant avant utilisation. La ciboulette séchée ne remplace pas vraiment la fraîche.

Poulet aux légumes du potager

4 personnes

INGRÉDIENTS

250 g de panais, épluchés et coupés
en morceaux
125 g de carottes, épluchées
et coupées en morceaux
25 g de chapelure
1/4 de cuil. à café de noix muscade

1 cuil. à soupe de persil frais haché
1 poulet de 1,5 kg
1 bouquet de persil
1/2 oignon
25 g de beurre, ramolli
4 cuil. à soupe d'huile d'olive

500 g de pommes de terre nouvelles,
grattées
500 g de jeunes carottes, lavées
et préparées
sel et poivre
persil frais haché, en garniture

1 Pour la farce, mettre
les panais et les carottes
dans une casserole, ajouter
de l'eau jusqu'à mi-hauteur
et porter à ébullition.Couvrir
et laisser mijoter jusqu'à ce
que les légumes soient
tendres. Bien égoutter, puis
réduire en purée avec un
robot de cuisine. Laisser
refroidir dans une terrine.

2 Mélanger à la purée la
chapelure, la muscade et
le persil. Saler et poivrer.

3 Introduire la farce dans
le cou du poulet, et
la pousser légèrement sous

la peau de la poitrine. Fixer
la peau à l'aide d'une
brochette en métal ou d'une
pique à cocktail.

4 Mettre le bouquet
de persil et l'oignon
à l'intérieur du poulet.
Mettre le poulet dans
un grand plat à rôtir.

5 Beurrer la peau, saler et
poivrer. Couvrir avec
du papier d'aluminium et
faire cuire au four préchauffé,
30 minutes à 195 °C (th. 6-7).

6 Faire chauffer l'huile
dans une poêle et

faire dorer les pommes
de terre.

7 Mettre les pommes
de terre dans le plat
à rôtir et ajouter les jeunes
carottes. Arroser le poulet
et remettre à cuire
1 heure, en arrosant
le poulet et les légumes
au bout de 30 minutes.
Retirer le papier
d'aluminium 20 minutes
avant la fin de la cuisson
pour permettre à la peau
de dorer. Garnir
les légumes avec du persil
haché et servir.

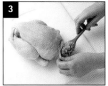

Barbecue & gril

*Il n'y a rien de plus délectable que la viande
juteuse et la peau croustillante d'un poulet
mariné dans un savoureux mélange d'huile et
d'aromates ou d'épices, et grillé. Essayez
par exemple les marinades de la cuisine
asiatique – yaourt et épices, ou sauce de soja,
huile de sésame et gingembre. Ce chapitre
contient des recettes originales, comme
les Brochettes de poulet à la sauce aux mûres
et les Roulades de poulet en brochette.
Les coquelets, aromatisés au citron et à l'estragon,
se prêtent très bien à la cuisson au gril
ou au barbecue. Ce chapitre donne aussi
la recette d'un poulet grillé aux légumes
qui associe des blancs de poulet à un assortiment
de légumes comprenant des courgettes,
des aubergines et du poivron rouge arrosés
d'un filet d'huile d'olive et servis avec
du pain grillé.*

Poulet à la mode cajun

4 personnes

INGRÉDIENTS

16 ailes de poulet	1 cuil. à café de cumin en poudre	2 cuil. à soupe de vinaigre de vin
4 cuil. à café de paprika	1/2 cuil. à café de poivre de Cayenne	persil frais, pour décorer
2 cuil. à café de coriandre en poudre	1/2 cuil. à café de sel	tomates cerises et mesclun,
1 cuil. à café de sel de céleri	1 cuil. à soupe d'huile	en accompagnement

1 Laver les ailes de poulet et les sécher avec du papier absorbant. Couper l'extrémité à l'aide de ciseaux de cuisine.

2 Mélanger le paprika, la coriandre, le sel de céleri, le cumin, le poivre de Cayenne, le sel, l'huile et le vinaigre.

3 Enduire uniformément les ailes de poulet de cette préparation. Réfrigérer au moins une heure pour permettre aux arômes de bien imprégner le poulet.

4 Faire cuire les ailes de poulet 15 minutes environ sur un barbecue préchauffé. Les badigeonner d'huile de temps en temps et les retourner souvent jusqu'à cuisson complète. Garnir avec le persil frais. Servir avec des tomates cerises, du mesclun et une sauce de votre choix.

CONSEIL

Si vous souhaitez une saveur plus pimentée, vous pouvez ajouter 2 ou 3 gouttes de Tabasco à l'étape 2.

VARIANTE

Bien que les ailes de poulet ne soient pas très charnues, elles sont petites, faciles à manger avec les doigts, et donc parfaites pour les barbecues. Elles peuvent cependant aussi se déguster frites ou rôties.

Poulet au curry et aux graines de sésame

4 personnes

INGRÉDIENTS

150 g de yaourt nature	2 cuil. à café de pâte de curry	4 découpes de poulet
zeste finement râpé et jus	mi-forte	naan (pain indien) et quartiers
d'un petit citron	1 cuil. à soupe de graines de sésame	de citron, en accompagnement

1 Enlever la peau du poulet et entailler la chair à intervalles réguliers à l'aide d'un couteau tranchant.

2 Mélanger dans une terrine le yaourt, le zeste et le jus de citron, et la pâte de curry jusqu'à obtention d'une préparation homogène.

3 Enduire les morceaux de poulet de cette préparation et les disposer sur une plaque à pâtisserie ou une grille recouverte de papier d'aluminium.

4 Mettre les morceaux de poulet sous un gril préchauffé à température moyenne. Faire cuire 12 à 15 minutes, en les retournant une fois, jusqu'à ce qu'ils soient bien dorés et bien cuits. Juste avant la fin de la cuisson, parsemer le poulet de graines de sésame.

5 Servir avec de la salade, du naan et des quartiers de citron.

VARIANTE

Vous pouvez remplacer les graines de sésame par des graines de pavot, de fenouil ou de cumin, ou un mélange des trois.

CONSEIL

Si vous en avez le temps, laissez le poulet et la sauce mariner une nuit au réfrigérateur. Les saveurs auront ainsi bien imprégné la viande.

Poulet au gingembre et au maïs

6 personnes

INGRÉDIENTS

3 épis de maïs frais	6 cuil. à soupe de jus de citron	pommes de terre en robe des champs
12 ailes de poulet	4 cuil. à café d'huile de tournesol	ou salade, en accompagnement
1 morceau de gingembre de 2,5 cm	1 cuil. à soupe de sucre en poudre fin	

1 Retirer les enveloppes et les soies des épis de maïs. À l'aide d'un couteau tranchant, couper chaque épi en 6 tranches épaisses.

2 Placer le maïs dans une terrine avec le poulet.

3 Éplucher et râper le gingembre ou le hacher finement. Le mettre dans un bol et ajouter le jus de citron, l'huile de tournesol et le sucre. Remuer jusqu'à obtenir un mélange homogène.

4 Verser la marinade sur le poulet et le maïs et bien enrober les morceaux.

5 Piquer les épis de maïs et le poulet sur des brochettes en métal ou en bambou. Faire cuire au gril modérément chaud ou au barbecue 15 à 20 minutes, en arrosant de marinade et en retournant jusqu'à ce que le maïs soit doré et tendre, et le poulet cuit. Servir avec des pommes de terre en robe des champs ou de la salade.

CONSEIL

Coupez les extrémités des ailes avant de les griller, car elles brûlent très facilement. Vous pouvez aussi les recouvrir de petits morceaux de papier aluminium.

CONSEIL

Choisissez des épis de maïs charnus et aux grains bien denses. À défaut de maïs frais, vous pouvez utiliser du maïs surgelé.

Poulet grillé aux légumes

4 personnes

INGRÉDIENTS

1 aubergine, coupée en rondelles	6 cuil. à soupe d'huile d'olive	1 oignon rouge, coupé en tranches
2 gousses d'ail, hachées	4 blancs de poulet	1 ciabatta ou 1 baguette, coupée
zeste finement râpé d'un demi-citron	2 courgettes , coupées en rondelles	en tranches
1 cuil. à soupe de menthe fraîche	1 poivron rouge, coupé en quartiers	huile d'olive extra
hachée	1 bulbe de fenouil, coupé en tranches	sel et poivre

1 Mettre les rondelles d'aubergine dans une passoire et les saupoudrer de sel. Laisser dégorger 30 minutes au-dessus d'une terrine. Rincer et sécher. Cette opération atténuera l'amertume des aubergines.

2 Mélanger l'ail, le zeste de citron, la menthe et l'huile d'olive dans un bol. Saler et poivrer.

3 Entailler les blancs de poulet à intervalles réguliers à l'aide d'un couteau tranchant.

Les mettre dans une terrine et les arroser de la moitié de la sauce à l'huile. Remuer pour mélanger.

4 Mélanger les aubergines et les autres légumes dans une autre terrine, puis les arroser du reste de la sauce à l'huile. Laisser mariner le poulet et les légumes 30 minutes environ.

5 Mettre le poulet et les légumes au barbecue préchauffé à haute température, ou sur

un gril en fonte rainuré posé sur une plaque chauffante, en les retournant de temps en temps, jusqu'à ce qu'ils soient tendres et bien dorés.

6 Badigeonner les tranches de pain d'huile d'olive et les faire dorer au gril.

7 Arroser le poulet et les légumes d'un filet d'huile d'olive. Servir chaud ou froid avec le pain grillé.

Brochettes de poulet tropicales

6 personnes

INGRÉDIENTS

750 g de blancs de poulet
2 cuil. à soupe de xérès demi-sec
3 mangues

feuilles de laurier
2 cuil. à soupe d'huile
poivre

2 cuil. à soupe de noix de coco
en copeaux

1 Enlever la peau du poulet, le couper en cubes de 2,5 cm et verser dessus le xérès, avec un peu de poivre.

2 À l'aide d'un couteau tranchant, couper les mangues en cubes de 2,5 cm. Jeter le noyau et la peau.

3 Piquer sur de longues brochettes en alternant les morceaux de poulet, les morceaux de mangue et les feuilles de laurier. Badigeonner légèrement d'huile.

4 Faire cuire les brochettes 8 à 10 minutes sous

un gril préchauffé à température moyenne, en les retournant de temps en temps, jusqu'à ce qu'elles soient bien dorées.

5 Parsemer les brochettes de copeaux de noix de coco et faire cuire encore 30 secondes. Servir avec de la salade.

CONSEIL

Utilisez des mangues mûres mais encore fermes, pour qu'elles tiennent sur les brochettes pendant la cuisson. L'ananas convient aussi pour cette recette.

CONSEIL

Si vous utilisez des brochettes en métal, retournez-les à l'aide de gants ou d'une pince pour ne pas vous brûler. Il faut faire tremper les brochettes en bois 30 minutes dans l'eau avant utilisation pour éviter qu'elles ne brûlent sur le gril, et envelopper leur extrémité de papier d'aluminium.

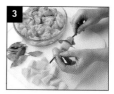

Pilons à la sauce aigre-douce

4 personnes

INGRÉDIENTS

8 pilons de poulet	2 cuil. à soupe de concentré	1 gousse d'ail
4 cuil. à soupe de vinaigre	de tomates	1 bonne pincée de poivre de Cayenne
de vin rouge	2 cuil. à soupe de miel liquide	sel et poivre
2 cuil. à soupe de sauce de soja	1 cuil. à soupe de sauce Worcester	brins de persil frais, en garniture

1 Enlever la peau des pilons (facultatif). Faire 2 ou 3 entailles dans chaque pilon à l'aide d'un couteau tranchant.

2 Disposer les pilons côte à côte dans un plat à gratin ou à rôtir non métallique.

3 Mélanger le vinaigre, le concentré de tomates, la sauce de soja, le miel, la sauce Worcester, l'ail et le poivre de Cayenne. Verser cette préparation sur les pilons.

4 Laisser mariner 1 heure au réfrigérateur.

Faire cuire les pilons environ 20 minutes sur un barbecue préchauffé. Les badigeonner avec la marinade et les retourner en cours de cuisson. Garnir avec le persil et servir avec de la salade.

CONSEIL

Pour obtenir une saveur plus piquante, ajoutez le jus d'un citron à la marinade. Vérifiez régulièrement en cours de cuisson que le poulet ne brûle pas.

VARIANTE

Cette sauce aigre-douce convient aussi au porc et aux crevettes. Piquez des cubes de porc ou des crevettes sur des brochettes avec des poivrons et des petits oignons.

Poulet aux herbes potagères

4 personnes

INGRÉDIENTS

4 découpes de poulet, en partie désossées et sans peau	4 cuil. à soupe d'herbes fraîches (persil, ciboulette et menthe, par exemple) finement hachées	125 g de fromage frais allégé poivre
6 cuil. à soupe d'huile d'olive	1 avocat bien mûr	riz froid, en accompagnement
2 cuil. à soupe de jus de citron		

1 À l'aide d'un couteau tranchant, faire 3 ou 4 entailles profondes dans chaque blanc de poulet.

2 Mettre le poulet dans un plat à four et le badigeonner légèrement d'huile d'olive.

3 Faire cuire les blancs sous un gril préchauffé à température moyenne, en les retournant une fois, jusqu'à ce qu'ils soient bien dorés et qu'une brochette piquée dans la partie la plus charnue fasse s'écouler un jus clair.

4 Mélanger l'huile d'olive restante avec le jus de citron et les herbes, et poivrer. Verser le mélange sur la viande et laisser refroidir. Réfrigérer 1 heure.

5 Dénoyauter l'avocat (*voir* « conseil ») et le mixer dans un robot de cuisine avec le fromage frais. Poivrer. Servir le poulet avec la sauce à l'avocat et du riz.

CONSEIL

Vous pouvez faire cuire le poulet plusieurs heures à l'avance, et le garder au réfrigérateur jusqu'à utilisation.

CONSEIL

Pour dénoyauter facilement un avocat, commencez par le couper en deux. En tenant fermement dans la main la moitié contenant le noyau, piquer le noyau avec un couteau en l'enfonçant, puis faites doucement tourner le couteau pour déloger le noyau.

Brochettes de poulet à la sauce tomate épicée

4 personnes

INGRÉDIENTS

500 g de blancs de poulet, sans peau	2 cuil. à soupe de sauce Worcester	brins de romarin, en garniture
3 cuil. à soupe de concentré de tomates	1 cuil. à soupe de romarin frais haché	couscous ou riz, en accompagnement
2 cuil. à soupe de miel liquide	250 g de tomates cerises	

1 Couper le poulet en morceaux de 2,5 cm à l'aide d'un couteau tranchant et mettre dans une terrine.

2 Mélanger le concentré de tomates, le miel, la sauce Worcester et le romarin. Verser cette préparation sur le poulet, en remuant pour bien l'enrober.

3 Piquer sur 8 brochettes en bois, en alternance, les morceaux de poulet et les tomates. Badigeonner avec le reste de la sauce.

4 Faire cuire 8 à 10 minutes sous un gril préchauffé à haute température, en retournant de temps en temps, jusqu'à ce que le poulet soit cuit. Servir sur un lit de couscous ou de riz, et garnir avec le romarin.

CONSEIL

Les tomates cerises se prêtent particulièrement bien à la cuisson au barbecue, car elles peuvent être piquées entières sur les brochettes. Leur peau empêche ainsi le jus de s'écouler.

CONSEIL

Le couscous est fait à partir de semoule de blé dur. Il est très facile à préparer : il suffit de le faire tremper dans un récipient d'eau bouillante, puis de bien dissocier les grains à l'aide d'une fourchette. Vous pouvez le parfumer avec du citron ou de la noix muscade.

Poulet grillé et toasts au pistou

4 personnes

INGRÉDIENTS

8 hauts de cuisse de poulet,
   en partie désossés
huile d'olive, pour badigeonner
400 ml de coulis de tomates

120 ml de pistou
12 tranches de pain
60 g de pignons ou d'amandes
   effilées

90 g de parmesan, fraîchement râpé
feuilles de salade,
   en accompagnement

1 Disposer les morceaux de poulet en une seule couche dans un plat à gratin, et les badigeonner légèrement d'huile. Faire cuire environ 15 minutes sous un gril préchauffé, en les retournant de temps en temps, jusqu'à ce qu'ils soient bien dorés.

2 Piquer une brochette dans la viande. Il ne doit y avoir aucune trace rosée dans le jus qui s'écoule.

3 Enlever tout excès de graisse. Faire chauffer le coulis de tomates et la moitié du pistou dans une casserole et verser sur le poulet. Faire griller encore quelques minutes, en retournant le poulet pour qu'il soit bien enrobé de sauce.

4 Tartiner les tranches de pain avec le pistou restant. Disposer le pain sur le poulet et saupoudrer de parmesan. Parsemer le fromage de pignons. Passer au gril 2 à 3 minutes, jusqu'à ce que le dessus soit gratiné. Servir avec des feuilles de salade.

CONSEIL

Conserver la peau du poulet augmente sa teneur en matières grasses, mais de nombreuses personnes apprécient la riche saveur et la texture croustillante de cette peau, surtout quand elle a été cuite au gril. Elle empêche aussi les sucs de s'écouler pendant la cuisson.

Pilons grillés à la moutarde

4 personnes

INGRÉDIENTS

10 tranches de lard fumé	4 cuil. à soupe de panure	3 cuil. à soupe de moutarde
1 gousse d'ail, hachée	de pain complet	à l'ancienne
8 pilons de poulet	1 cuil. à soupe d'huile de tournesol	brins de persil frais, en garniture

1 Couper deux des tranches de lard en petits morceaux et faire revenir à sec 3 à 4 minutes, en remuant pour que le lard n'attache pas à la poêle. Retirer du feu et ajouter en remuant l'ail, 2 cuillerées à soupe de moutarde et la panure.

2 Soulever délicatement la peau des pilons avec les doigts en veillant à ne pas la déchirer. Mettre un peu de la préparation à la moutarde sous la peau de chaque pilon, rabattre la peau et bien la lisser.

3 Enrouler une tranche de lard autour

de chaque pilon et la fixer à l'aide d'une pique à cocktail.

4 Mélanger le reste de moutarde et l'huile, badigeonner les pilons avec cette préparation. Faire cuire environ 25 minutes sous un gril ou au barbecue préchauffé à température moyenne, jusqu'à ce qu'une brochette piquée dans la partie la plus charnue de la viande fasse s'écouler un jus clair, sans aucune trace rosée.

5 Garnir avec les brins de persil. Servir chaud ou froid.

CONSEIL

Il ne faut pas mettre le poulet à cuire à l'endroit le plus chaud du barbecue, sinon l'extérieur risque de brûler avant que le cœur ne soit cuit.

Poulet au citron vert et à la menthe

6 personnes

INGRÉDIENTS

3 cuil. à soupe de menthe finement hachée

4 cuil. à soupe de miel liquide

12 hauts de cuisse de poulet, désossés

4 cuil. à soupe de jus de citron vert

salade, en accompagnement

SAUCE

150 g de yaourt épais nature

1 cuil. à soupe de menthe finement hachée

2 cuil. à café de zeste de citron vert finement râpé

1 Mélanger la menthe, le miel et le jus de citron vert dans une terrine.

2 Rouler les morceaux de poulet et les fixer avec des piques à cocktail. Les tremper dans la marinade, en les retournant pour bien les enrober.

3 Laisser mariner au moins 30 minutes, et de préférence toute une nuit. Faire cuire le poulet sous un gril ou au barbecue préchauffé à température moyenne, en le retournant souvent et en l'arrosant régulièrement avec la marinade. Il est cuit quand une brochette piquée dans sa partie la plus charnue fait s'écouler un jus clair.

4 Pendant ce temps, mélanger tous les ingrédients de la sauce.

5 Retirer les piques à cocktail. Servir le poulet avec la sauce et de la salade.

CONSEIL

Il est très facile de faire pousser de la menthe dans son jardin ou dans une jardinière. C'est une plante utile pour les marinades et les sauces de salade. Vous pouvez faire pousser ainsi persil et basilic.

VARIANTE

Vous pouvez utiliser cette marinade pour les brochettes de poulet, en alternant poulet, quartiers de citron vert et quartiers d'oignon rouge.

Brochettes de poulet à la sauce aux mûres

4 personnes

INGRÉDIENTS

4 blancs de poulet ou 8 hauts de cuisse	2 cuil. à soupe de romarin frais haché	SAUCE
4 cuil. à soupe de vin blanc sec ou de cidre brut	poivre	200 g de mûres
salade verte, en accompagnement	brins de romarin et mûres, en garniture	1 cuil. à soupe de vinaigre de cidre
		2 cuil. à soupe de gelée de groseilles
		1/4 de cuil. à café de noix muscade

1 Couper le poulet en cubes de 2,5 cm, et mettre dans une terrine. Ajouter le vin blanc et le romarin. Poivrer. Couvrir et laisser mariner au moins 1 heure.

2 Égoutter la viande et la piquer sur 8 brochettes en métal ou en bois (celles-ci doivent au préalable tremper 30 minutes dans l'eau). Réserver la marinade.

3 Cuire 8 à 10 minutes sous un gril préchauffé à température moyenne, en retournant de temps en temps, jusqu'à ce que la viande soit bien dorée et cuite.

4 Pour la sauce, mettre la marinade dans une casserole avec les mûres, et faire mijoter jusqu'à ce qu'elles soient ramollies. Passer au tamis en appuyant avec le dos d'une cuillère.

5 Remettre dans une casserole avec vinaigre de cidre et gelée de groseilles. Porter à ébullition et faire bouillir à découvert jusqu'à réduction d'un tiers.

6 Verser de la sauce aux mûres dans les assiettes et mettre une brochette par-dessus. Saupoudrer de noix muscade et garnir de romarin et de mûres.

CONSEIL

Si vous utilisez des fruits en boîte, n'ajoutez pas de gelée.

Coquelet grillé au citron et à l'estragon

2 personnes

INGRÉDIENTS

2 coquelets	zeste d'un demi-citron	estragon et rondelles d'orange,
4 brins d'estragon frais	1 cuil. à soupe de jus de citron	en garniture
1 cuil. à café d'huile	1 gousse d'ail, hachée	
25 g de beurre	sel et poivre	

1 Préparer les coquelets, les poser sur une planche à découper, côté poitrine en dessous. Fendre la colonne vertébrale à l'aide de ciseaux de cuisine. Écraser doucement les coquelets pour casser les os ; ils cuiront ainsi à plat. Saler.

2 Retourner les coquelets et introduire un brin d'estragon sous la peau, de chaque côté de la poitrine.

3 Huiler les coquelets à l'aide d'un pinceau à pâtisserie et les mettre sous un gril préchauffé, à 15 cm environ de la source de chaleur. Faire cuire 15 minutes environ, jusqu'à ce qu'ils soient légèrement dorés, en les retournant à mi-cuisson.

4 Pour le glaçage, faire fondre le beurre dans une petite casserole, ajouter le zeste et le jus de citron, et l'ail. Saler et poivrer.

5 Badigeonner les coquelets avec cette préparation et les faire cuire encore 15 minutes, en les retournant une fois et en les badigeonnant régulièrement pour qu'ils ne se dessèchent pas. Garnir avec de l'estragon et des rondelles d'orange. Ce plat est délicieux accompagné de pommes de terre nouvelles.

CONSEIL

Une fois les coquelets aplatis, transpercez-les de 2 brochettes en métal pour qu'ils gardent cette forme.

Poulet grillé
à l'aïoli chaud

4 personnes

INGRÉDIENTS

4 découpes de poulet
2 cuil. à soupe d'huile
2 cuil. à soupe de jus de citron
2 cuil. à café de thym séché
sel et poivre

salade verte et rondelles de citron,
en accompagnement

AÏOLI
5 gousses d'ail, hachées

2 jaunes d'œufs
120 ml d'huile d'olive
120 ml d'huile de tournesol
2 cuil. à café de jus de citron
2 cuil. à soupe d'eau bouillante

1 Piquer les découpes de poulet en plusieurs endroits à l'aide d'une brochette. Disposer dans un plat à gratin ou à rôtir.

2 Mélanger l'huile, le jus de citron, le thym, le sel et le poivre. Verser sur le poulet, en le retournant pour bien l'enrober. Réserver 2 heures.

3 Pour l'aïoli, mélanger l'ail et une pincée de sel pour former une pâte. Ajouter les jaunes d'œufs en fouettant bien. Incorporer les huiles goutte à goutte, en battant vigoureusement jusqu'à ce que la mayonnaise soit lisse et crémeuse. Continuer de battre jusqu'à ce que l'aïoli soit épais. Ajouter le jus de citron et poivrer. Réserver dans un endroit tiède.

4 Mettre le poulet sur un barbecue préchauffé et cuire 25 à 30 minutes. Badigeonner de marinade et retourner les morceaux pour qu'ils cuisent uniformément. Mettre dans un plat.

5 Ajouter l'eau à l'aïoli en battant et mettre dans une saucière chaude. Servir le poulet avec l'aïoli, une salade verte et des rondelles de citron.

CONSEIL

Pour un aïoli vite fait, mettez dans un bol l'ail et 300 ml de mayonnaise de bonne qualité. Posez le bol sur une casserole d'eau chaude et battre. Avant de servir, ajoutez 1 à 2 cuillerées à soupe d'eau très chaude.

Roulades de poulet en brochettes

4 personnes

INGRÉDIENTS

4 blancs de poulet, sans peau	1 gousse d'ail, hachée	huile, pour badigeonner
2 cuil. à soupe de concentré	4 tranches de lard maigre fumé	sel et poivre
de tomates	1 poignée de feuilles de basilic frais	

1 Mettre un blanc de poulet entre deux feuilles de film alimentaire et l'aplatir à l'aide d'un rouleau à pâtisserie jusqu'à obtenir une épaisseur uniforme. Répéter l'opération avec les autres blancs.

2 Bien mélanger l'ail et le concentré de tomates. Étaler uniformément cette préparation sur le poulet.

3 Poser une tranche de lard sur chaque blanc et disposer les feuilles de basilic par-dessus. Bien saler et poivrer.

4 Rouler les blancs et les couper en tranches épaisses à l'aide d'un couteau tranchant.

5 Piquer ces tranches sur 4 brochettes en veillant à ce qu'elles gardent leur forme.

6 Badigeonner légèrement les brochettes d'huile et faire cuire environ 5 minutes sous un gril ou au barbecue préchauffé à température élevée. Retourner les brochettes et faire cuire encore 5 minutes, jusqu'à cuisson complète du poulet. Servir chaud avec une salade verte.

CONSEIL

Aplatir les blancs les amincit. Ils cuisent ainsi plus vite et sont également plus faciles à rouler.

VARIANTE

Pour accentuer le côté méditerranéen de ces brochettes, servez-les avec du pain à l'ail saupoudré de parmesan.

Plats épicés

Le poulet étant une viande appréciée dans
le monde entier, il entre dans la composition
de plats épicés venus de partout : Antilles, Asie,
Espagne ou Mexique, notamment. Le jus de
citron vert, la cacahuète, la noix de coco et le
piment donnent sa saveur typiquement
thaïlandaise au Poulet pimenté à la noix de
coco. Le Poulet du Cachemire est un plat riche
et relevé du nord de l'Inde, cuit avec un
mélange de yaourt, de pâte de curry tikka,
de cumin, de gingembre, de piment
et d'amandes. D'Espagne nous vient le Poulet
aux crevettes, avec son association de poulet, de
fruits de mer et de chorizo (que l'on retrouve
dans la paella), cuits dans une sauce à l'ail,
aux tomates et au vin blanc. Le Poulet à
l'abricot et au cumin est un plat original, idéal
pour les grandes occasions :
le poulet est farci avec des abricots secs, enduit
d'un mélange de yaourt, de cumin
et de curcuma, et servi avec du riz aux
amandes. Ce chapitre contient même une
recette japonaise, le Teppanyaki, plat simple
composé de fines tranches de poulet frites avec
des poivrons, des oignons verts et des germes
de soja, et servi avec une sauce au mirin.

Poulet à la sauce au poivron rouge et aux amandes

4 personnes

INGRÉDIENTS

25 g de beurre

7 cuil. à soupe d'huile

4 blancs de poulet, coupés
en morceaux de 4 cm

1 oignon moyen, grossièrement
haché

1 morceau de gingembre frais
de 2 cm

3 gousses d'ail, épluchées

25 g d'amandes, mondées

1 gros poivron rouge, coupé
en morceaux

1 cuil. à soupe de cumin en poudre

2 cuil. à café de coriandre en poudre

1 cuil. à café de curcuma en poudre

1 pincée de poivre de Cayenne

1/2 cuil. à café de sel

150 ml d'eau

3 cosses d'anis étoilé

2 cuil. à soupe de jus de citron

poivre

amandes effilées, en garniture

riz, en accompagnement

1 Faire chauffer dans
une poêle le beurre
et une cuillerée à soupe
d'huile. Ajouter les blancs
de poulet et faire dorer
5 minutes. Mettre le poulet
dans une assiette et tenir
au chaud jusqu'à utilisation.

2 Mettre dans un robot
de cuisine ou
un mixeur l'oignon,
le gingembre, l'ail,
les amandes, le poivron,
le cumin, la coriandre,

le curcuma, le poivre
de Cayenne et le sel. Mixer
jusqu'à obtention d'une pâte
homogène.

3 Faire chauffer l'huile
restante dans une
cocotte ou une sauteuse.
Verser la pâte et faire cuire
10 à 12 minutes.

4 Ajouter les blancs
de poulet, l'eau, l'anis
étoilé, le jus de citron et
le poivre. Couvrir, réduire

le feu et laisser mijoter
25 minutes, jusqu'à ce que
le poulet soit tendre, en
remuant de temps en temps
en cours de cuisson.

5 Mettre le poulet dans
un plat, parsemer
d'amandes effilées et
servir avec des portions
individuelles de riz moulé.

Curry de poulet à l'ail et aux fruits

4 à 6 personnes

INGRÉDIENTS

1 cuil. à soupe d'huile	4 gousses d'ail, hachées avec	2 cuil. à soupe de sauce Worcester
900 g de viande de poulet, en cubes	un peu d'huile d'olive	3 cuil. à soupe de pâte de curry fort
60 g de farine, assaisonnée	1 ananas, coupé en dés	150 ml de crème aigre
32 petites échalotes, grossièrement	125 g de raisin de Smyrne	sel et poivre
hachées	1 cuil. à soupe de miel liquide	rondelles d'orange, en garniture
3 pommes à cuire, coupées en dés	300 ml de bouillon de poulet	riz, en accompagnement

1 Faire chauffer l'huile dans une grande poêle. Fariner la viande et la faire revenir environ 4 minutes. Transférer le poulet dans une cocotte et tenir au chaud jusqu'à utilisation.

2 Faire cuire doucement dans le jus de cuisson les échalotes, l'ail, les pommes, l'ananas et le raisin.

3 Ajouter le miel, le bouillon, la sauce Worcester et la pâte de curry. Saler et poivrer à volonté.

4 Verser la sauce sur le poulet. Couvrir la cocotte avec un couvercle ou du papier d'aluminium.

5 Faire cuire à mi-hauteur d'un four préchauffé, 2 heures environ à 180 °C (th. 6). Incorporer la crème aigre et remettre à cuire 15 minutes. Servir avec du riz et garnir avec une rondelle d'orange.

VARIANTE

Le riz à la noix de coco se marie aussi très bien avec ce plat. Mettez dans une cocotte 25 g de crème de coco en morceaux (voir « conseil » page 246), un bâton de cannelle et 600 ml d'eau. Portez à ébullition. Ajoutez en remuant 350 g de riz basmati, couvrez et laissez mijoter 15 minutes, jusqu'à absorption complète du liquide. Retirez le bâton de cannelle avant de servir.

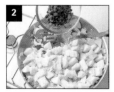

Tortillas au poulet

4 personnes

INGRÉDIENTS

2 cuil. à soupe d'huile

8 hauts de cuisse de poulet, désossés, sans peau et émincés

1 oignon, haché

2 gousses d'ail, hachées

1 cuil. à café de graines de cumin grossièrement broyées

2 gros piments, coupés en lanières

400 g de tomates en boîte

400 g de haricots rouges en boîte, égouttés

150 ml de bouillon de poulet

2 cuil. à café de sucre

sel et poivre

quartiers de citron vert, en garniture

ACCOMPAGNEMENT

1 gros avocat bien mûr

1 citron vert

8 tortillas souples

250 ml de yaourt nature épais

1 Faire chauffer l'huile dans une grande poêle ou dans un wok, ajouter le poulet et faire dorer 3 minutes. Ajouter l'oignon et faire rissoler 5 minutes en remuant. Ajouter l'ail, le cumin et les piments avec leurs graines. Faire cuire 1 minute environ.

2 Ajouter les tomates, les haricots, le bouillon et le sucre. Saler et poivrer. Porter à ébullition, en concassant les tomates. Couvrir et laisser mijoter 15 minutes. Découvrir et faire cuire 5 minutes, en remuant de temps en temps, jusqu'à épaississement.

3 Couper l'avocat en deux, enlever le noyau et mettre la chair dans un bol. Écraser l'avocat à la fourchette. Couper la moitié du citron vert en 8 quartiers. Presser l'autre moitié et verser le jus sur l'avocat.

4 Faire chauffer les tortillas selon les instructions de l'emballage. Mettre 2 tortillas dans chaque assiette, les remplir avec la préparation au poulet et poser dessus des cuillerées d'avocat et de yaourt. Décorer avec les quartiers de citron vert.

VARIANTE

Pour une garniture végétarienne, remplacez le poulet par 400 g de haricots pinto ou borlotti en boîte, et le bouillon de poulet par du bouillon de légumes.

Poulet cajun aux gombos

2 personnes

INGRÉDIENTS

1 cuil. à soupe d'huile de tournesol	90 g de riz long grain	15 ml de concentré de tomates
4 cuisses de poulet	300 ml de bouillon de poule	sel et poivre
1 petit oignon, coupé en dés	1 petit piment rouge	
2 branches de céleri, coupées en dés	225 g de gombos	

1 Faire chauffer l'huile dans une casserole et y faire revenir le poulet jusqu'à ce qu'il soit doré. Le réserver une fois cuit.

2 Faire revenir l'oignon, le céleri et le poivre 1 minute dans la casserole. Jeter l'excès de graisse.

3 Ajouter le riz et faire revenir 1 minute sans cesser de remuer. Verser le bouillon et chauffer jusqu'à ébullition. Émincer le piment et retirer les extrémités des gombos. Incorporer au reste des ingrédients avec le concentré de tomates. Saler et poivrer.

4 Remettre le poulet dans la casserole et remuer. Couvrir et laisser mijoter 15 minutes jusqu'à ce que le riz soit tendre, le poulet complètement cuit et le liquide absorbé. Remuer de temps en temps et ajouter éventuellement du bouillon si le mélange se dessèche trop.

CONSEIL

Le piment entier rend le plat très épicé. Si vous préférez un arôme plus doux, retirez-en les graines.

VARIANTE

Si vous désirez, vous pouvez remplacer le poulet par 250 grammes de crevettes pelées et 90 grammes de poitrine de porc. Émincer le porc et faire revenir dans l'huile, ajouter les oignons, et incorporer les crevettes 5 minutes avant la fin du temps de cuisson

Poulet à la mexicaine

4 personnes

INGRÉDIENTS

2 cuil. à soupe d'huile	425 g de tomates concassées	sel et poivre
8 pilons de poulet	en boîte	riz cuit
1 oignon moyen, émincé	2 cuil. à soupe de concentré	salade de poivrons variés
1 cuil. à café de poudre de piment	de tomates	
1 cuil. à café de coriandre hachée	125 g de maïs surgelé	

1 Faire chauffer l'huile dans une grande poêle, ajouter les pilons de poulet et les faire cuire à feu moyen jusqu'à ce qu'ils soient légèrement dorés de tous les côtés. Retirer de la poêle et réserver.

2 Ajouter l'oignon et faire revenir 3 à 4 minutes, jusqu'à ce qu'il soit tendre, incorporer la poudre de piment et la coriandre et faire revenir pendant quelques secondes.

3 Ajouter les tomates en dés avec leur jus et le concentré de tomates.

Remettre le poulet dans la poêle et laisser mijoter pendant 20 minutes jusqu'à ce que la viande soit tendre et complètement cuite. Ajouter le maïs et faire cuire encore 3 à 4 minutes. Saler et poivrer.

4 Servir avec du riz blanc et une salade de poivrons variés.

CONSEIL

Habituellement on ne congèle pas les plats mexicains car les saveurs intenses, telle que celle du piment, s'intensifient avec la congélation, si vous les conservez trop longtemps un déplaisant goût de moisi pourrait se développer.

Poulet à la sauce de soja noire

4 personnes

INGRÉDIENTS

425 g de blanc de poulet, coupé
en lanières
1 pincée de sel
1 pincée de maïzena
2 cuil. à soupe d'huile
1 gousse d'ail, hachée
1 cuil. à soupe de sauce de soja noire
1 poivron vert et 1 poivron rouge
frais, coupés en lanières

1 piment rouge, finement émincé
75 g de champignons, émincés
1 oignon, émincé
6 oignons verts, émincés
sel et poivre

ASSAISONNEMENT
1/2 cuil. à café de sel
1/2 cuil. à café de sucre

3 cuil. à soupe de bouillon de poulet
1 cuil. à soupe de sauce
de soja épaisse
2 cuil. à soupe de bouillon de bœuf
2 cuil. à soupe d'alcool de riz
1 cuil. à café de maïzena, délayée
dans un peu d'alcool de riz

1 Mettre le poulet dans une terrine. Ajouter une pincée de sel et une pincée de maïzena. Recouvrir d'eau et laisser tremper 30 minutes.

2 Faire chauffer 1 cuillerée à soupe d'huile dans un wok ou une sauteuse et faire revenir le poulet 4 minutes. Retirer et réserver sur un plat chaud. Nettoyer le wok.

3 Verser le reste d'huile dans le wok. Incorporer l'ail, la sauce de soja noire, les poivrons vert et rouge, le piment, les champignons, l'oignon et les oignons verts. Faire revenir 2 minutes, puis remettre le poulet dans le wok.

4 Ajouter les ingrédients de l'assaisonnement et faire cuire encore 3 minutes en liant avec un peu de maïzena délayée. Servir avec des nouilles fraîches.

CONSEIL

On peut trouver de la sauce de soja noire dans les épiceries asiatiques et dans certains supermarchés. Si vous ne trouvez pas de pâtes fraîches, utilisez des pâtes sèches.

Teppanyaki

4 personnes

INGRÉDIENTS

4 filets de poulet	8 mini-épis de maïs	4 cuil. à soupe de sauce de soja
1 poivron rouge	100 g de germes de soja	4 cuil. à soupe de mirin
1 poivron vert	1 cuil. à soupe d'huile de sésame	(vin de riz doux)
4 oignons verts	ou de tournesol	1 cuil. à soupe de gingembre râpé

1 Retirer la peau du poulet et le découper, en biais, en lamelles d'une épaisseur d'environ 5 mm.

2 Épépiner et couper en fines lanières les poivrons et couper les oignons verts et les mini-épis de maïs en rondelles. Disposer les poivrons, les oignons verts, le maïs et les germes de soja sur une assiette avec le poulet en lamelles.

3 Faire chauffer une grande plaque chauffante ou une poêle puis l'huiler. Ajouter les légumes et le poulet par petites quantités, en laissant suffisamment d'espace entre les morceaux pour qu'ils puissent cuire complètement.

4 Mélanger la sauce de soja, le mirin et le gingembre et servir comme sauce pour accompagner le poulet et les légumes.

VARIANTE

Si vous ne trouvez pas de mirin, vous pouvez le remplacer par une cuillerée à soupe de sucre roux.

VARIANTE

Au lieu de servir cette sauce en accompagnement, utilisez-la comme marinade. Cependant, ne laissez pas le poulet mariner plus de 2 heures, la sauce de soja rendrait la viande sèche. Si vous le souhaitez, vous pouvez utiliser d'autres légumes, par exemple des petits pois, ou des carottes coupées en fines lanières.

Poulet à l'antillaise

4 personnes

INGRÉDIENTS

8 pilons de poulet, sans peau
2 citrons verts
1 cuil. à café de poivre de Cayenne
2 mangues moyennes

2 cuil. à soupe de sucre
de canne brun
quartiers de citrons verts et persil
frais, en garniture

2 cuil. à soupe de noix de coco
grossièrement râpée (facultatif),
en accompagnement
1 cuil. à soupe d'huile de tournesol

1 À l'aide d'un couteau tranchant, faire des entailles dans les pilons à intervalles réguliers. Mettre le poulet dans une terrine.

2 Râper le zeste des citrons verts et réserver.

3 Presser les citrons verts et verser le jus sur le poulet. Saupoudrer de poivre de Cayenne. Couvrir et réfrigérer au moins 2 heures, ou toute une nuit.

4 Éplucher les mangues et les couper en deux. Enlever le noyau et couper la chair en tranches.

5 Retirer les pilons de la marinade à l'aide d'une écumoire et réserver le jus. Faire chauffer l'huile dans une grande poêle et faire revenir le poulet en remuant fréquemment. Ajouter en remuant la marinade, le zeste de citron vert, les tranches de mangue et le sucre de canne.

6 Couvrir la poêle et laisser mijoter, en remuant de temps en temps, 15 minutes, jusqu'à ce qu'une brochette piquée dans la viande fasse s'écouler un jus clair. Saupoudrer de noix de coco râpée (facultatif), et garnir de quartiers de citron et de persil frais.

CONSEIL

Quand vous achetez des mangues, rappelez-vous que la couleur de la peau des mangues mûres peut aller du vert au rouge clair, et leur chair du jaune pâle à l'orange vif. Choisissez des mangues dont la chair est souple sous la pression du doigt.

Poulet farci aux noix de cajou

4 personnes

INGRÉDIENTS

1 poulet d'environ 1,5 kg
1 petit oignon, coupé en deux
25 g de beurre, fondu
1 cuil. à café de curcuma en poudre
1 cuil. à café de gingembre en poudre
1/2 cuil. à café de poivre de Cayenne
sel et poivre
coriandre fraîche, en garniture

FARCE
2 cuil. à soupe d'huile
1 oignon moyen, finement haché
1/2 poivron rouge moyen, coupé en petits morceaux
2 gousses d'ail, hachées
125 g de riz basmati
350 ml de bouillon de poulet chaud
zeste râpé d'un demi-citron

1/2 cuil. à café de curcuma en poudre
1/2 cuil. à café de gingembre en poudre
1/2 cuil. à café de coriandre en poudre
1 pincée de poivre de Cayenne
90 g de noix de cajou salées

1 Pour la farce, faire chauffer l'huile dans une casserole, ajouter l'oignon, le poivron et l'ail, et faire cuire 4 à 5 minutes à feu doux. Ajouter le riz et remuer pour bien l'enduire d'huile. Mouiller avec le bouillon, porter à ébullition et laisser mijoter 15 minutes, jusqu'à absorption complète du liquide. Mettre dans une terrine et ajouter les autres ingrédients. Bien poivrer.

2 Introduire la moitié de la farce dans le cou du poulet et fermer l'ouverture à l'aide d'une pique à cocktail. Placer l'oignon coupé en deux à l'intérieur du poulet. Graisser un plat allant au four, y mettre le reste de la farce et couvrir de papier d'aluminium.

3 Mettre le poulet dans un plat à rôtir. Le piquer à l'aide d'une fourchette, sauf à l'endroit où se trouve la farce. Mélanger le beurre et les épices, saler, poivrer, et badigeonner le poulet.

4 Faire cuire le poulet au four préchauffé, 1 h 30 à 195 °C (th. 6-7), en l'arrosant de temps en temps. Enfourner le plat avec la farce 30 minutes avant la fin de la cuisson du poulet. Retirer la pique et servir le tout avec la sauce.

Poulet thaï aux légumes

4 personnes

INGRÉDIENTS

3 cuil. à soupe d'huile de sésame

350 g de blancs de poulet, finement émincés

2 gousses d'ail, finement émincées

1 morceau de gingembre frais de 2,5 cm, râpé

8 échalotes, émincées

1 piment vert, finement émincé

1 poivron rouge et 1 poivron vert, finement émincés

3 courgettes, finement émincées

2 cuil. à soupe d'amandes en poudre

1 cuil. à café de cannelle en poudre

1 cuil. à soupe de sauce d'huître

50 g de crème de coco en bloc, râpée

sel et poivre

1 Faire chauffer l'huile de sésame dans un wok préchauffé ou une grande sauteuse. Incorporer les lamelles de poulet, saler, poivrer et faire revenir 4 à 5 minutes.

2 Ajouter les échalotes, l'ail, le gingembre et le piment. Faire revenir 2 minutes.

3 Ajouter les poivrons et les courgettes et cuire encore 1 minute.

4 Ajouter les autres ingrédients. Faire cuire 1 minute. Disposer sur un plat chaud et servir immédiatement.

CONSEIL

La crème de coco est aussi vendue dans les épiceries asiatiques sous forme de briques. Elle se conserve facilement et ajoute une saveur riche et profonde au plat.

CONSEIL

Si vous préférez un goût plus doux, épépinez les piments avant de les préparer. Soyez très prudent quand vous préparez des piments, le contact avec le visage ou les yeux serait très douloureux. Portez toujours des gants de cuisine et lavez-vous les mains après avoir manipulé des piments.

Pilaf au poulet

4 personnes

INGRÉDIENTS

60 g de beurre
8 hauts de cuisse de poulet, désossés,
    sans peau et coupés
    en gros morceaux
1 oignon moyen, émincé
1 cuil. à café de curcuma en poudre
1 cuil. à café de cannelle en poudre

250 g de riz long
425 ml de yaourt nature
60 g de raisin de Smyrne
200 ml de bouillon de poulet
1 tomate moyenne, concassée
2 cuil. à soupe de coriandre
    ou de persil frais haché

2 cuil. à soupe de noix de coco grillée
sel et poivre
coriandre fraîche, en garniture

1 Faire chauffer le beurre dans une poêle antiadhésive et faire revenir le poulet et l'oignon environ 3 minutes.

2 Ajouter en remuant le curcuma, la cannelle et le riz, saler et poivrer. Faire cuire 3 minutes à feu doux.

3 Ajouter le yaourt, le raisin et le bouillon. Bien mélanger. Couvrir et laisser mijoter 10 minutes, en remuant de temps en temps, jusqu'à ce que le riz soit tendre et tout le bouillon absorbé. Ajouter du bouillon si la préparation devient trop sèche.

4 Ajouter en remuant la tomate et la coriandre ou le persil frais.

5 Saupoudrer de noix de coco grillée et garnir avec de la coriandre fraîche.

CONSEIL

Le riz long est la variété de riz la plus courante et la moins chère. Le riz basmati, avec ses grains fins et sa saveur aromatique, est plus coûteux ; réservez-le pour les grandes occasions si vous le trouvez trop cher pour un usage courant. Le riz, et particulièrement le riz basmati, doit être bien lavé sous le robinet d'eau froide avant utilisation.

Poulet du Cachemire

4 personnes

INGRÉDIENTS

4 pilons et 4 hauts de cuisse de poulet, sans peau	1 oignon moyen, émincé	1/2 cuil. à café de pâte de piment
150 ml de yaourt nature	1 gousse d'ail, hachée	4 cuil. à café de bouillon de poulet
4 cuil. à soupe de pâte de curry tikka	1 cuil. à café de cumin en poudre	2 cuil. à soupe d'amandes pilées
2 cuil. à soupe d'huile de tournesol	1 cuil. à café de gingembre frais haché	sel
		coriandre fraîche, en garniture

1 À l'aide d'un couteau tranchant, faire dans le poulet des entailles assez profondes, à intervalles réguliers. Mettre le poulet dans une terrine.

2 Mélanger le yaourt et la pâte de curry. Ajouter cette préparation au poulet en remuant pour bien l'enrober. Couvrir et réfrigérer au moins 1 heure.

3 Faire chauffer l'huile dans une grande poêle. Faire revenir l'oignon et l'ail 4 à 5 minutes, jusqu'à ce qu'ils soient tendres mais pas dorés.

4 Incorporer le cumin, le gingembre et la pâte de piment. Faire cuire 1 minute à feu doux.

5 Ajouter le poulet et faire dorer à feu doux environ 10 minutes, en remuant de temps en temps. Incorporer le reste de marinade s'il y en a, le bouillon et les amandes.

6 Couvrir la poêle et laisser mijoter 15 minutes, jusqu'à ce que le poulet soit tendre et bien cuit.

7 Saler légèrement. Garnir le poulet avec la coriandre et servir. Ce plat se marie très bien avec du riz pilaf, des pickles et des poppadums (fines galettes indiennes).

VARIANTE

Vous pouvez remplacer les cuisses de poulet par des blancs coupés en gros morceaux.

Poulet à l'abricot et au cumin

4 personnes

INGRÉDIENTS

4 grosses cuisses de poulet,
    sans peau

zeste finement râpé d'un citron

200 g d'abricots secs

1 cuil. à soupe de cumin en poudre

1 cuil. à café de curcuma en poudre

125 g de yaourt nature allégé

sel et poivre

ACCOMPAGNEMENT

250 g de riz complet

quartiers de citron et salade

2 cuil. à soupe de noisettes
    ou d'amandes effilées et grillées

2 cuil. à soupe de graines
    de tournesol grillées

1 Dégraisser les cuisses de poulet si nécessaire.

2 Dégager délicatement la chair de l'os des hauts de cuisse à l'aide d'un petit couteau tranchant.

3 Écarter la chair en descendant jusqu'à l'articulation. Saisir fermement l'os du haut de cuisse et tourner pour le détacher du pilon.

4 Étaler la partie désossée du poulet, la parsemer de zeste de citron râpé et poivrer. Garnir chaque morceau de poulet d'abricots secs. Replier et fixer à l'aide d'une pique à cocktail.

5 Mélanger le cumin, le curcuma, le yaourt, du sel et du poivre. Badigeonner uniformément le poulet avec cette préparation. Mettre le poulet dans un plat à rôtir et faire cuire au four préchauffé, 35 à 40 minutes à 195 °C (th. 6-7), jusqu'à ce qu'une brochette piquée dans la partie la plus charnue de la viande fasse s'écouler un jus clair, sans aucune trace rosée.

6 Pendant ce temps, faire cuire le riz dans de l'eau bouillante légèrement salée jusqu'à ce qu'il soit juste tendre. Bien égoutter et ajouter en remuant les noisettes ou les amandes et les graines de tournesol. Servir le poulet avec le riz, des quartiers de citron et de la salade.

Poulet pimenté à la noix de coco

4 personnes

INGRÉDIENTS

150 ml de bouillon de poulet, chaud

25 g de crème de coco

(*voir* « conseil » page 246)

1 cuil. à soupe d'huile de tournesol

8 cuisses de poulet, sans peau,

désossées et effilées

1 petit piment rouge,

finement émincé

4 cuil. à soupe de beurre

de cacahuète

4 oignons verts, émincés

zeste râpé et jus d'un citron vert

1 piment rouge frais et 1 bulbe

d'oignon vert, en garniture

riz nature, en accompagnement

1 Verser le bouillon de poulet dans un verre doseur ou un petit bol. Émietter la crème de coco dans le bouillon et remuer jusqu'à complète dissolution.

2 Faire chauffer l'huile dans une sauteuse ou un wok préchauffé. Ajouter le poulet et le faire dorer sans cesser de remuer.

3 Ajouter le piment rouge et les oignons verts. Laisser mijoter à feu doux quelques minutes.

4 Incorporer le beurre de cacahuète, la crème de coco délayée, le jus et le zeste du citron. Laisser mijoter à découvert 5 minutes en remuant pour éviter que cela n'attache.

5 Transférer sur un plat chaud et garnir avec le piment rouge et le bulbe d'oignon vert. Servir avec du riz nature.

VARIANTE

Le riz au jasmin accompagnera parfaitement cette recette de poulet à la noix de coco.

VARIANTE

Le citron vert est souvent utilisé dans la cuisine thaïlandaise, et est particulièrement associé à des saveurs douces, telle que la crème de coco ou les cacahuètes. Il est préféré au citron car il a un goût plus acide, qui rafraîchit de nombreux plats. Si vous n'en trouvez pas, remplacez-le par du citron.

Liste des recettes